〜超《ちょう》絵《え》解《かい》本《ぼん》

絵と図《ず》でよくわかる

哲学《がく》のせかい

科《か》学《がく》を生《う》み、発《はっ》展《てん》させた人《じん》類《るい》の知《ち》の結《けっ》晶《しょう》

はじめに

哲学《てつがく》は，人類《じんるい》が2500年以上《ねんいじょう》にわたってつくりあげてきた“知《ち》の結晶《けっしょう》”です。
そのはじまりは，自然現象《しぜんげんしょう》への素朴《そぼく》な疑問《ぎもん》でした。

実《じつ》は，私《わたし》たちが「科学《かがく》」とよんでいる学問《がくもん》は，
かつて「哲学《てつがく》」に含《ふく》まれていました。
あのピタゴラスやニュートンも，現役時代《げんえきじだい》は哲学者《てつがくしゃ》だったのです。

この本《ほん》では，古代《こだい》から現代《げんだい》にいたるまでの哲学《てつがく》の歴史《れきし》を，
科学《かがく》とのつながりに注目《ちゅうもく》しながらやさしく紹介《しょうかい》していきます。

また，哲学《てつがく》は科学《かがく》が発展《はってん》した現代《げんだい》でも進化《しんか》をつづけています。
コロナ政策《せいさく》，プライバシー，オンラインコミュニケーションなど，
現代《げんだい》にこそ考《かんが》えておくべき哲学的《てつがくてき》な問題《もんだい》も取《と》りあげています。

奥深《おくぶか》い哲学《てつがく》の世界《せかい》をどうぞお楽《たの》しみください！

プロローグ

1　哲学《てつがく》のはじまり　古代《こだい》ギリシャ時代《じだい》

2　哲学《てつがく》は科学《かがく》のタネ　13世紀《せいき》〜17世紀《せいき》ごろ

4 これからの時代《じだい》に必要《ひつよう》な現代哲学《げんだいてつがく》　科学《かがく》と倫理《りんり》　デジタル社会《しゃかい》

5 哲学《てつがく》に親《した》しむ7つの思考実験《しこうじっけん》

プロローグ

哲学《てつがく》で考《かんが》えられてきた四《よっ》つのテーマ

大《おお》まかに「形而上学《けいじじょうがく》」「認識論《にんしきろん》」「倫理学《りんりがく》」「論理学《ろんりがく》」に分《わ》けられる

哲学《てつがく》は，今《いま》から2500年以上前《ねんいじょうまえ》の，古代《こだい》ギリシャの時代《じだい》にはじまったとされています。当時《とうじ》の哲学《てつがく》は，物事《ものごと》のなりたちやしくみを考《かんが》えるものであり，現代《げんだい》の科《か》学《がく》の原型《げんけい》も，その中《なか》に含《ふく》まれていました。

哲学《てつがく》と科学《かがく》が分《わ》かれたのは，17世紀《せいき》から19世紀《せいき》にかけてのことだと考《かんが》えられています。そのため，科学《かがく》と分《わ》かれる前《まえ》の哲学《てつがく》と現代《げんだい》の哲学《てつがく》とでは，性格《せいかく》が大《おお》きくことなります。

哲学《てつがく》で考《かんが》えられてきたテーマを便宜的《べんぎてき》に分《わ》けると，四《よっ》つに分類《ぶんるい》されます。本質《ほんしつ》を知《し》る「形而上学《けいじじょうがく》」，正《ただ》しく知《し》る「認識論《にんしきろん》」，善悪《ぜんあく》や価値《かち》の判断《はんだん》をする「倫理学《りんりがく》」，正《ただ》しい推《すい》論《ろん》をする「論理学《ろんりがく》」です。

古代《こだい》ギリシャ時代《じだい》の哲学者《てつがくしゃ》は，四《よっ》つのテーマの分類《ぶんるい》をこえて，さまざまな問題《もんだい》について一人《ひとり》で考《かんが》えていました。その後《ご》，時代《じだい》が進《すす》むにしたがって，四《よっ》つのテーマのうちの特定《とくてい》の一《ひと》つか二《ふた》つのテーマに集中《しゅうちゅう》して研究《けんきゅう》することが，一般的《いっぱんてき》になりました。20世紀以降《せいきいこう》になると，自然哲学《しぜんてつがく》，心《こころ》の哲学《てつがく》，言語哲《げんごてつ》学《がく》，政治哲学《せいじてつがく》などの個別《こべつ》の対象《たいしょう》についての研究《けんきゅう》が，分野《ぶんや》として独立《どくりつ》し，細分化《さいぶんか》されていきました。

哲学《てつがく》で考《かんが》えられてきた四《よっ》つのテーマ

哲学《てつがく》でこれまで考《かんが》えられてきたテーマは大《おお》きく四《よっ》つに分《わ》けることができます。本質《ほんしつ》を知《し》るための「形而上学《けいじじょうがく》」，正《ただ》しく知《し》るための「認識論《にんしきろん》」，善悪《ぜんあく》や価値《かち》の判《はん》断《だん》をする「倫理学《りんりがく》」，正《ただ》しい推論《すいろん》をする「論理学《ろんりがく》」です。この四《よっ》つのテーマを考《かんが》えながら本書《ほんしょ》を読《よ》み進《すす》めると，哲学《てつがく》への理解《りかい》が深《ふか》まります。

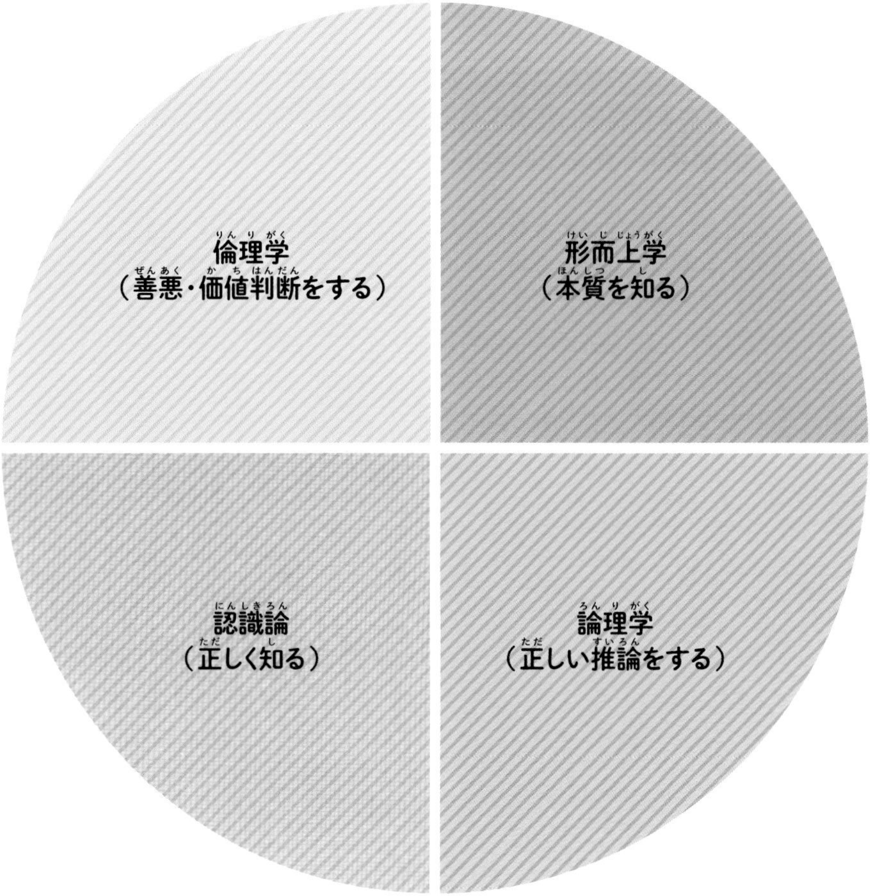

プロローグ

科学《かがく》と哲学《てつがく》のちがいは？ 哲学《てつがく》のフローチャート

観察《かんさつ》や実験《じっけん》で明《あき》らかにできる問題《もんだい》かどうかが，科学《かがく》と哲学《てつがく》の分《わ》かれ目《め》

現《げん》**在《ざい》，観察《かんさつ》や実験《じっけん》で明《あき》らかにできる問題《もんだい》は，哲学《てつがく》で考《かんが》えられる問題《もんだい》ではなくなりました**（右《みぎ》のフローチャート）。

たとえば，世界《せかい》はどうなっているのかを考《かんが》えたいとします。そのうち，実験《じっけん》で明《あき》らかにできる自然《しぜん》の姿《すがた》は，すべて「自然科学《しぜんかがく》」の問題《もんだい》です。それから，たとえ目《め》に見《み》えない心《こころ》の問題《もんだい》であっても，実験《じっけん》で明《あき》らかにできるものは，「心理学《しんりがく》」や「脳神経科学《のうしんけいかがく》」などの科学《かがく》の問《もん》題《だい》です。

一方《いっぽう》で，自然《しぜん》の根本的《こんぽんてき》な姿《すがた》や基《き》本的《ほんてき》な世界《せかい》の本質《ほんしつ》については，観《かん》察《さつ》や実験《じっけん》の対象《たいしょう》にはなりません。また，心《こころ》の問題《もんだい》も，心《こころ》と体《からだ》がどういう関係《かんけい》にあるのかということについては，まだ明《あき》らかにされていない部分《ぶぶん》が多《おお》くあります。さらに，われわれはどう生《い》きるべきかという倫理《りんり》や価値《かち》についても，科学《かがく》では解明《かいめい》できません。**こうした観察《かんさつ》や実験《じっけん》で明《あき》らかにできない問題《もんだい》は，実《じつ》は哲学《てつがく》でしか考《かんが》えられない問題《もんだい》なのです。**

近年《きんねん》，哲学的思考《てつがくてきしこう》があらためて見直《みなお》されています。欧米《おうべい》の起業家《きぎょうか》や投資家《とうしか》の間《あいだ》では必須《ひっす》の学問《がくもん》とさえ考《かんが》えられています。すべてを客《きゃっ》観的《かんてき》な観察《かんさつ》やデータでとらえることができないビジネスや投資《とうし》の世《せ》界《かい》で，柔軟《じゅうなん》な思考《しこう》が必要《ひつよう》になってくるのが理由《りゆう》の一《ひと》つでしょう。

哲学《てつがく》のフローチャート

自分《じぶん》の考《かんが》えたいことをたどっていくと，それがどの分野《ぶんや》の問題《もんだい》なのかがわかります。自然哲学《しぜんてつがく》，形而上学《けいじじょうがく》，認識論《にんしきろん》，心《こころ》の哲学《てつがく》，論理学《ろんりがく》，倫理学《りんりがく》と価値論《かちろん》は，哲学《てつがく》の分野《ぶんや》です。

哲学《てつがく》フローチャート

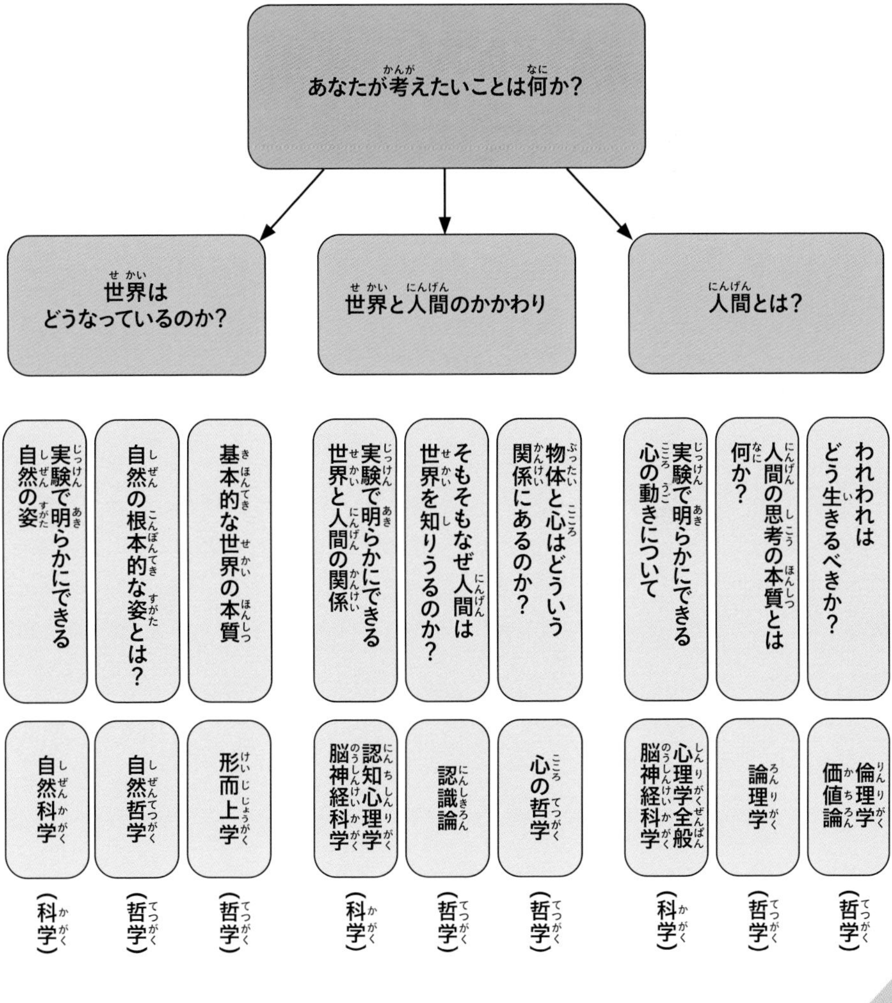

1

哲学《てつがく》のはじまり

古代《こだい》ギリシャ時代《じだい》

哲学《てつがく》は, 今《いま》から2500年以上前《ねんいじょうまえ》, 古代《こだい》ギリシャの時代《じだい》にはじまったとされます。「科学《かがく》」の起源《きげん》も，古代《こだい》ギリシャの哲学者《てつがくしゃ》たちが行《おこな》った知《ち》の営《いとな》みにあったといえます。この章《しょう》では，古代《こだい》ギリシャの哲学《てつがく》を，現代科学《げんだいかがく》とのつながりに注目《ちゅうもく》しながら紹介《しょうかい》していきます。

自然現象《しぜんげんしょう》への『おどろき』から哲学《てつがく》ははじまった

紀元前《きげんぜん》6世紀《せいき》ごろ，古代《こだい》ギリシャで哲学《てつがく》がはじまった

哲学《てつがく》とはいったい何《なに》なのでしょうか？　日本語《にほんご》の「哲学《てつがく》」のもとになったのは，古代《こだい》ギリシャ語《ご》の「philosophia」です。philoは「愛《あい》する」，sophiaは「知《ち》」を意味《いみ》しています。むずかしい学問《がくもん》と思《おも》われがちな哲学《てつがく》ですが，そもそもは「知《ち》を愛《あい》すること」を意味《いみ》していました。つまり「何《なに》かを知《し》りたいと思《おも》い，考《かんが》えること」であれば，それはすべて「哲《てつ》学《がく》」だといえるのです。

そんな哲学《てつがく》がはじまったとされるのは，今《いま》から2500年以上《ねんいじょう》もさかのぼった紀元前《きげんぜん》6世紀《せいき》ごろ，古代《こだい》ギリシャの地《ち》においてでした。有名《ゆうめい》な哲学《てつがく》者《しゃ》であるプラトン（前《ぜん》427～前《ぜん》347）やアリストテレス（前《ぜん》384～前《ぜん》322）は，哲学《てつがく》の起源《きげん》について「はじまりは，おどろきにあった」とのべています。**たとえば，雷《かみなり》が落《お》ちたときに「どうしてだろう？」と不思議《ふしぎ》に思《おも》う気持《きも》ち。こういったおどろきから哲学《てつがく》は生《う》まれた**のだ，と彼《かれ》らは語《かた》っているのです。

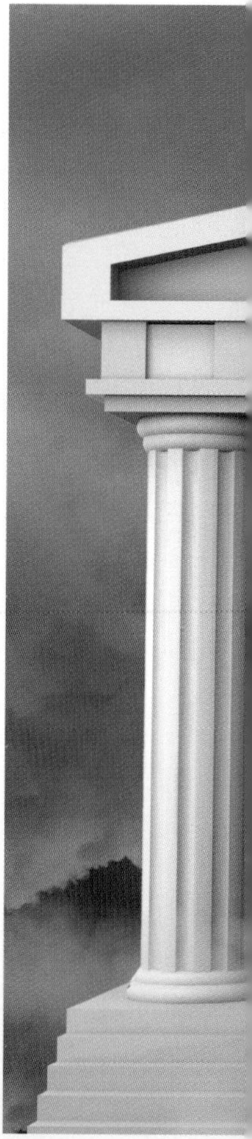

どうして雷《かみなり》が落《お》ちたのだろう？

日常《にちじょう》のあらゆる現象《げんしょう》を不思議《ふしぎ》に思《おも》い，その原因《げんいん》を求《もと》めて考《かんが》えることから，哲《てつ》学《がく》ははじまりました。

“神様《かみさま》のせい”では納得《なっとく》できなくなった

目《め》の前《まえ》の自然現象《しぜんげんしょう》は ほんとうに神《かみ》がおこしたのか

古《こ》代《だい》ギリシャでは，哲学《てつがく》が誕生《たんじょう》する前《まえ》はさまざまな自然現象《しぜんげんしょう》に対《たい》して，神話《しんわ》などにもとづいた説《せつ》明《めい》がされていました。たとえば，雷《かみなり》が落《お》ちるのは全能《ぜんのう》の神《かみ》ゼウスのせい，人《ひと》が眠《ねむ》るのは眠《ねむ》りの神《かみ》ヒュプノスのしわざ……といったぐあいです。このような神話的《しんわてき》な説明《せつめい》を「ミュトス」といいます。

ところが，紀元前《きげんぜん》6世紀《せいき》のはじめごろから，ミュトスに満足《まんぞく》できない人《ひと》たちがあらわれはじめました。彼《かれ》らは，ミュトスからはなれ，自然現《しぜんげん》象《しょう》をより理性的《りせいてき》（合理的《ごうりてき》）に説明《せつめい》しようと試《こころ》みました。このような理性《りせい》的《てき》な説明《せつめい》のことを「ロゴス」といいます。**自然現象《しぜんげんしょう》を見《み》て「なぜだろう？」と問《と》い，ミュトスよりもロゴスを重視《じゅうし》する人々《ひとびと》によって，哲学《てつがく》がはじまったのです。**

自然現象《しぜんげんしょう》への疑問《ぎもん》に理性的《りせいてき》な説明《せつめい》を求《もと》める

古代《こだい》ギリシャ神話《しんわ》に登場《とうじょう》する全能《ぜんのう》の神《かみ》ゼウスが雷《かみなり》を落《お》としているイメージ。自然現象《しぜんげんしょう》を見《み》て「なぜだろう？」と疑問《ぎもん》に思《おも》ったときに，こういった神話的説明《しんわてきせつめい》（ミュトス）ではなく，理性《りせい》的説明《てきせつめい》（ロゴス）を求《もと》めたことが，哲学《てつがく》のはじまりでした。

最古《さいこ》の哲学者《てつがくしゃ》は万物《ばんぶつ》の根源《こんげん》を水《みず》だと考《かんが》えた

あらゆる物質《ぶっしつ》だけでなく，現象《げんしょう》の根源《こんげん》も「水《みず》」であるとした

「最《さい》古《こ》の哲学者《てつがくしゃ》」とされる人物《じんぶつ》がいます。紀元前《きげんぜん》6世紀前半《せいきぜんはん》に活躍《かつやく》したタレス（前《ぜん》624ごろ〜前《ぜん》546ごろ）です。タレスはギリシャ七《しち》賢人《けんじん》の筆頭《ひっとう》にあげられる多才《たさい》な人物《じんぶつ》で，皆既日食《かいきにっしょく》の出現《しゅつげん》（紀元前《きげんぜん》585年《ねん》）の予言《よげん》や，円《えん》の直径《ちょっけい》を1辺《ぺん》とし，円《えん》に内接《ないせつ》する三角形《さんかくけい》の角度《かくど》に関《かん》する「タレスの定理《ていり》」を数学的《すうがくてき》に証明《しょうめい》するなど，さまざまな活躍《かつやく》をしたと伝《つた》えられています。

タレスは，「万物《ばんぶつ》の根源《こんげん》は水《みず》である」ととなえました。私《わたし》たち人間《にんげん》やさまざまな動植物《どうしょくぶつ》，空気《くうき》や大地《だいち》，天《てん》候《こう》の変化《へんか》，生命《せいめい》の誕生《たんじょう》と死《し》……そういったあらゆる物質《ぶっしつ》や現象《げんしょう》の根源《こんげん》が「水《みず》」だと考《かんが》えたのです。

現代《げんだい》の科学知識《かがくちしき》からすると，「万《ばん》物《ぶつ》の根源《こんげん》は水《みず》」という考《かんが》えは正《ただ》しくはありません。しかし，ここで重要《じゅうよう》なのは，タレスがどのようにしてその結論《けつろん》に至《いた》ったのかということです。20ページで説明《せつめい》します。

タレスが生《う》まれたミレトスの遺跡《いせき》

タレスの出身地《しゅっしんち》であるミレトスは，イオニア地《ち》方《ほう》（現在《げんざい》のアナトリア半島南西部《はんとうなんせいぶ》にあたる，古《こ》代《だい》に存在《そんざい》した地方《ちほう》）の政治《せいじ》・文化《ぶんか》の中心都市《ちゅうしんとし》でした。現在《げんざい》はトルコに属《ぞく》し，小《しょう》アジア最大級《さいだいきゅう》の古代劇場《こだいげきじょう》や典型的《てんけいてき》なローマ浴場《よくじょう》などが残《のこ》る遺《い》跡《せき》を観光《かんこう》できます。

　タレスは，ギリシャ哲学最古《てつがくさいこ》の学派《がくは》「ミレトス学派《がくは》」の創始者《そうししゃ》の一人《ひとり》としても知《し》られています。

タレス
（前624ごろ〜前546ごろ）

『観察《かんさつ》』にもとづいて『本質《ほんしつ》』にせまる

科学的《かがくてき》な視点《してん》をもって万物《ばんぶつ》の根源《こんげん》を考《かんが》える

「万《ばん》物《ぶつ》の根源《こんげん》は水《みず》である」という考《かんが》え（18ページ）は,「観《かん》察《さつ》」によってみちびかれました。

「生命《せいめい》は水《みず》がないと生《い》きていけない」「あらゆる物体《ぶったい》は気体《きたい》・液体《えきたい》・固《こ》体《たい》でできていて，水《みず》はそのすべてに姿《すがた》をかえられる」「大地《だいち》は大量《たいりょう》の水《みず》（海《うみ》）に浮《う》かび,支《ささ》えられている」。タレスは万物《ばんぶつ》の根底《こんてい》にある普遍的《ふへんてき》で本《ほん》質的《しつてき》なものを求《もと》め,それが「水《みず》」であると考《かんが》えたのです。

このような「観察《かんさつ》にもとづく推《すい》論《ろん》」は，現代《げんだい》では科学《かがく》の基本《きほん》とされています。ただ漠然《ばくぜん》とながめていては気《き》がつかない本質《ほんしつ》に，理性《りせい》でせまる。その科学的《かがくてき》な態度《たいど》を示《しめ》したことが,タレスが「最古《さいこ》の哲学者《てつがくしゃ》」とされる理由《りゆう》です。

タレス以降《いこう》,万物《ばんぶつ》の根源《こんげん》（原因《げんいん》）をさぐることが，この時代《じだい》の哲学者《てつがくしゃ》たちのメインテーマとなりました。

「観察《かんさつ》」によって，水《みず》の重要性《じゅうようせい》に気《き》づく

最古《さいこ》の哲学者《てつがくしゃ》タレスが観察《かんさつ》した世界《せかい》のイメージです。タレスは，観察《かんさつ》にもとづいて「万物《ばんぶつ》の根源《こんげん》は水《みず》（古代《こだい》ギリシャ語《ご》でヒュドール）である」ととなえました。

ὕδωρ《ヒュドール》
（古代《こだい》ギリシャ語《ご》で「水《みず》」の意味《いみ》）

顕微鏡《けんびきょう》のない時代《じだい》に『原子《げんし》』が考《かんが》えられた

近代科学《きんだいかがく》の大発見《だいはっけん》を 古代《こだい》ギリシャの哲学者《てつがくしゃ》が先取《さきど》り！

「近《きん》代的《だいてき》な科学知識《かがくちしき》」といえる原子《げんし》の存在《そんざい》をはじめてとなえたのは，なんと顕微鏡《けんびきょう》もない古代《こだい》ギリシャ時代《じだい》の哲学者《てつがくしゃ》でした。

「万物《ばんぶつ》は原子《げんし》（アトム）でできている」という考《かんが》えは「原子論《げんしろん》」とよばれます。古代《こだい》ギリシャの原子論《げんしろん》は，哲学者《てつがくしゃ》レウキッポス（前《ぜん》5世紀後半《せいきこうはん》に活躍《かつやく》）がとなえ，哲学者《てつがくしゃ》デモクリトス（前《ぜん》460ごろ～前《ぜん》360ごろ）が完成《かんせい》へとみちびいたとされています。

といっても，現代《げんだい》の原子論《げんしろん》とは多少《たしょう》ことなります。たとえば，「それ以上分割《いじょうぶんかつ》できない」という性質《せいしつ》をもっていれば，原子《げんし》はどんな形状《けいじょう》でもよいとされていました。

また，彼《かれ》らのいう原子《げんし》は消滅《しょうめつ》しません。原子《げんし》が消滅《しょうめつ》しないので，世界《せかい》の変化《へんか》は原子《げんし》が移動《いどう》することによって生《しょう》じます。そのため，空《から》っぽの空間《くうかん》（空虚《くうきょ》）を想定《そうてい》する必要《ひつよう》がありました。**空虚《くうきょ》，つまり無《む》の存在《そんざい》を認《みと》めたことは，彼《かれ》らの原子論《げんしろん》の最大《さいだい》の特徴《とくちょう》といえるのです。**

ギリシャの古《ふる》い硬貨《こうか》に刻印《こくいん》されたデモクリトス

デモクリトスは自然学《しぜんがく》，倫理学《りんりがく》，数学《すうがく》，音楽理論《おんがくりろん》，詩論《しろん》など，幅広《はばひろ》い分野《ぶんや》の著作《ちょさく》をもち，「学問《がくもん》の五種競技者《ごしゅきょうぎしゃ》」とよばれました。

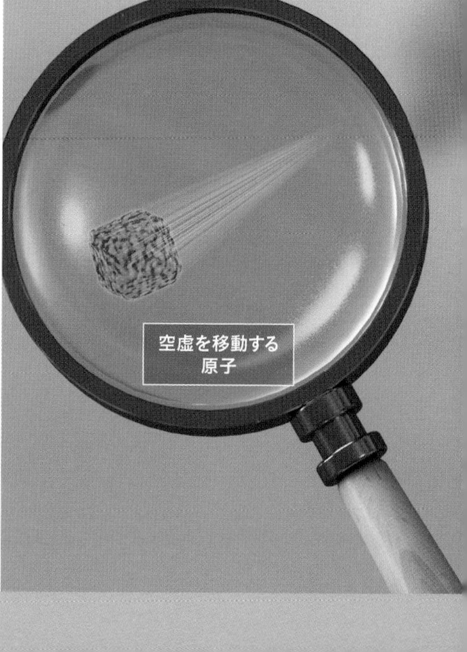

万物《ばんぶつ》は原子《げんし》でできている

レウキッポスとデモクリトスがとなえた原子論《げんしろん》のイメージをえがきました。彼《かれ》らは，さまざまな形状《けいじょう》の原子《げんし》が集《あつ》まって，あらゆる物体《ぶったい》がつくられていると考《かんが》えました。

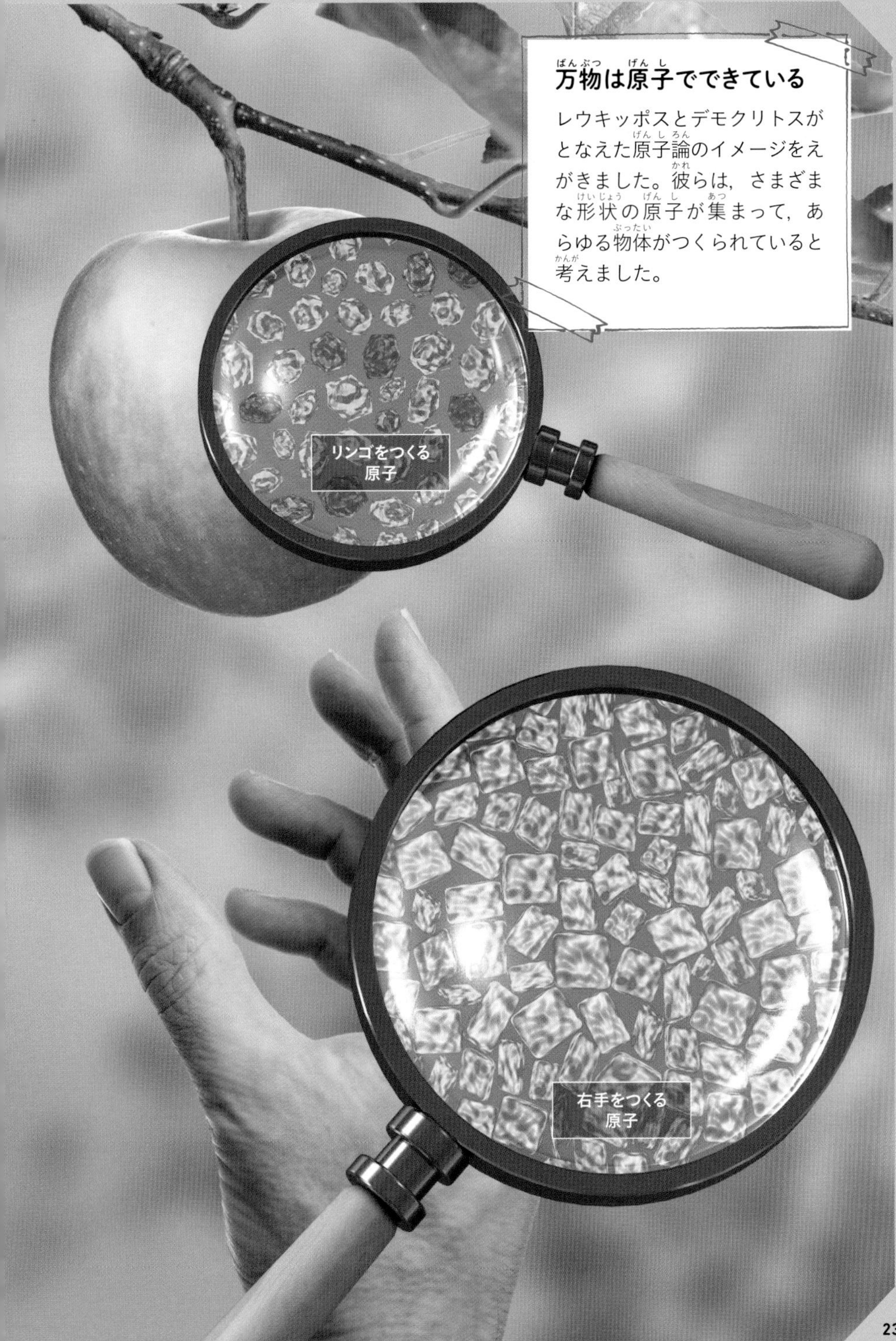

ピタゴラスは美《うつく》しい『数《かず》』を崇拝《すうはい》した

世界《せかい》は単純《たんじゅん》な比率《ひりつ》でできている

古《こ》代《だい》ギリシャ時代《じだい》には，哲学《てつがく》者《しゃ》が数学《すうがく》に取《と》り組《く》みました。**「ピタゴラスの定理《ていり》（三平方《さんへいほう》の定理《ていり》）」で有名《ゆうめい》なピタゴラス（前《ぜん》6世紀《せいき》後半《こうはん》に活躍《かつやく》）もそんな哲学者《てつがくしゃ》の一人《ひとり》です。**

ピタゴラスを中心《ちゅうしん》とする「ピタゴラス学派《がくは》」は，数学的《すうがくてき》な美《うつく》しさを崇拝《すうはい》しました。たとえば，10個《こ》の点《てん》が並《なら》んだ三角形《さんかくけい》は「テトラクテュス」とよばれ，神聖《しんせい》なシンボルとされました。その理由《りゆう》は，「音楽《おんがく》」と関係《かんけい》があります。

あるときピタゴラスは，弦《げん》の長《なが》さと音階《おんかい》に関《かん》する法則《ほうそく》を発見《はっけん》しました。ドの音《おと》が鳴《な》る弦《げん》を$\frac{1}{2}$の長《なが》さにすると，1オクターブ高《たか》いドが鳴《な》ります。同様《どうよう》に$\frac{2}{3}$にするとソ，$\frac{3}{4}$にするとファが鳴《な》り，どれも低《ひく》いドといっしょに鳴《な》らすと心地《ここち》よいハーモニーを奏《かな》でます。

弦《げん》の長《なが》さの比《ひ》は，低《ひく》いドと高《たか》いドで2：1，低《ひく》いドとソで3：2，低《ひく》いドとファで4：3でした。このことから**ピタゴラスは，「世界《せかい》は単《たん》純《じゅん》な比率《ひりつ》（美《うつく》しい関係《かんけい》）でできている」と考《かんが》えました。**

一方《いっぽう》，テトラクテュスは「1＋2＋3＋4」の10個《こ》の点《てん》でできています。心地《ここち》よいハーモニーの基本《きほん》となる数《かず》が整然《せいぜん》と並《なら》んでいるため，神聖《しんせい》なものとされたのです。

ラファエロがえがいたピタゴラス

イタリアの画家《がか》ラファエロ・サンティ（1483～1520）の作品《さくひん》『アテナイの学堂《がくどう》』に登場《とうじょう》するピタゴラス。彼《かれ》の前《まえ》に立《た》てられた黒板《こくばん》には，テトラクテュスと，美《うつく》しいハーモニーを奏《かな》でる比率《ひりつ》についての図《ず》がえがかれています。

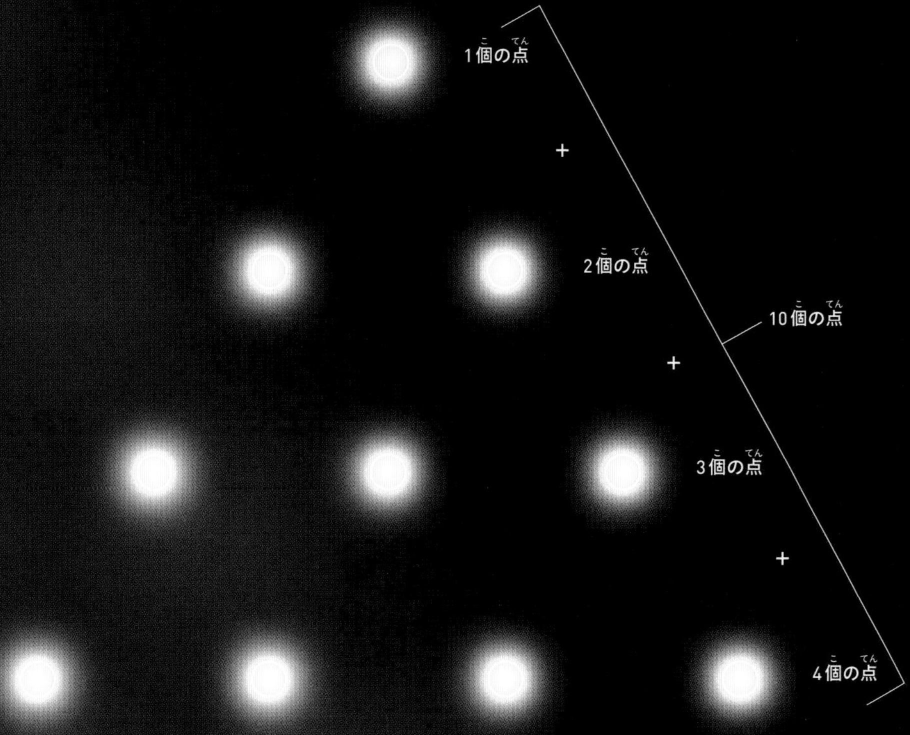

テトラクテュス

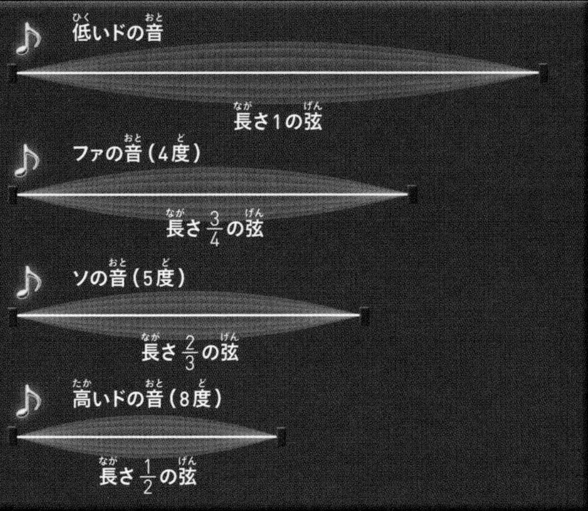

単純《たんじゅん》な「数《かず》」が生《う》みだす美《うつく》しいハーモニー

ピタゴラス学派《がくは》の神聖《しんせい》なシンボルとされた三角形《さんかくけい》テトラクテュスと，心地《ここち》よいハーモニーを奏《かな》でる長《なが》さの比《ひ》率《りつ》をもつ弦《げん》。「世界《せかい》は単純《たんじゅん》な比率《ひりつ》（美《うつく》しい関係《かんけい》）でできている」とピタゴラスは考《かんが》えました。

ソクラテスが説《と》いた『無《む》知《ち》の知《ち》』とは

ほんとうに賢《かしこ》い人間《にんげん》は自分《じぶん》が何《なに》も知《し》らないことを知っている

古《こ》代《だい》ギリシャ前期《ぜんき》の哲学《てつがく》は「自《し》然哲学《ぜんてつがく》」とよばれ，自然《しぜん》を観《かん》察《さつ》して知《ち》を得《え》ることをめざしました。

しかし，紀元前《きげんぜん》5世紀《せいき》から，哲学《てつがく》の対象《たいしょう》は人間社会《にんげんしゃかい》へと移《うつ》りました。政治《せいじ》や裁判《さいばん》の場《ば》で人《ひと》を説得《せっとく》する方法《ほうほう》を教《おし》える「ソフィスト」があらわれたのです。

相手《あいて》を言《い》いくるめることを第一《だいいち》とした哲学《てつがく》を，ふたたび「知《ち》の探究《たんきゅう》」へと引《ひ》きもどしたのがソクラテス（前《ぜん》469～前《ぜん》399）です。神託《しんたく》によって「最《もっと》も賢《かしこ》い人間《にんげん》」と名指《なざ》しされたソクラテスは，その真意《しんい》を知《し》るため，知《ち》者《しゃ》とよばれる人々《ひとびと》を訪《たず》ね歩《ある》きました。すると，「真《しん》の知《ち》」をもつ者《もの》など存在《そんざい》せず，**ほんとうに賢《かしこ》い人間《にんげん》とは，自《じ》分《ぶん》が何《なに》も知《し》らないことを知《し》っている人間《にんげん》なのだと気《き》づきます。**

こうしてソクラテスは，「だれでも己《おのれ》の無知《むち》をまず知《し》ること（無知《むち》の知《ち》）によってはじめて，真《しん》の知《ち》を求《もと》めようとする態度《たいど》（哲学《てつがく》）が生《う》まれうるのだ」と説《と》きました。

あえて自作《じさく》の書物《しょもつ》を残《のこ》さなかったソクラテス

対話《たいわ》を重視《じゅうし》したソクラテスは著作《ちょさく》を残《のこ》しておらず，彼《かれ》の思想《しそう》は，弟子《でし》や周囲《しゅうい》の人々《ひとびと》の著作《ちょさく》を通《つう》じて伝《つた》えられています。しかし，人《ひと》によってソクラテスのえがき方《かた》がことなり，思想《しそう》を解釈《かいしゃく》するうえで問題《もんだい》となっています。これは「ソクラテス問題《もんだい》」とよばれています。

ソクラテス
（前469〜前399）

“科学《かがく》の原型《げんけい》”は偉大《いだい》な哲学者《てつがくしゃ》から生《う》まれた

「真《しん》の知《ち》」を得《え》るための手法《しゅほう》が現代科学《げんだいかがく》の基盤《きばん》となる

ソクラテスの弟子《でし》プラトンと，プラトンの弟子《でし》アリストテレスは，のちの哲学《てつがく》に多大《ただい》な影響《えいきょう》をあたえました。

プラトンはあらゆる物《もの》や概念《がいねん》には，その理想型《りそうけい》である「イデア」が天上《てんじょう》の世界《せかい》に存在《そんざい》し，この世界《せかい》はイデアをモデルにつくられた模造《もぞう》（エイコーン）だととなえました。「見《み》えている世界《せかい》とは別《べつ》に，知性《ちせい》によってのみとらえられるイデアの世界《せかい》がある」という「二元論《にげんろん》」です。プラトンの二元論《にげんろん》は，形《かたち》をかえて後世《こうせい》の哲学者《てつがくしゃ》に受《う》けつがれていきます。

一方《いっぽう》，アリストテレスはこのような二元論《にげんろん》に強《つよ》く反発《はんぱつ》します。**アリストテレスは「真《しん》の知《ち》」を得《え》るために自然《しぜん》を徹底的《てっていてき》に観察《かんさつ》し，観察結果《かんさつけっか》を論理的《ろんりてき》に分析《ぶんせき》・検討《けんとう》する方法《ほうほう》を採用《さいよう》します。また，先人《せんじん》の文献《ぶんけん》を調査《ちょうさ》することも重視《じゅうし》しました。アリストテレスのこの考《かんが》えは，まさに現代科学《げんだいかがく》の基盤《きばん》となるものです。**

アリストテレスがつくりあげた学問分類《がくもんぶんるい》は，「万学《ばんがく》の祖《そ》」とよばれています（右上《みぎうえ》の図《ず》）。この学問分類《がくもんぶんるい》のうち「自然学《しぜんがく》」が，現在《げんざい》で一般《いっぱん》に「科学《かがく》」とよばれる領域《りょういき》へとつながっていきました。

アリストテレスの学問《がくもん》の分類《ぶんるい》

アリストテレスは学問《がくもん》を「理論的学問《りろんてきがくもん》」「実践的《じっせんてき》学問《がくもん》」「制作的学問《せいさくてきがくもん》」に分《わ》け，それらをまとめて「哲学《てつがく》（知《ち》の探究《たんきゅう》）」とよび，「論理学《ろんりがく》」は哲学《てつがく》のための道具《どうぐ》としました。

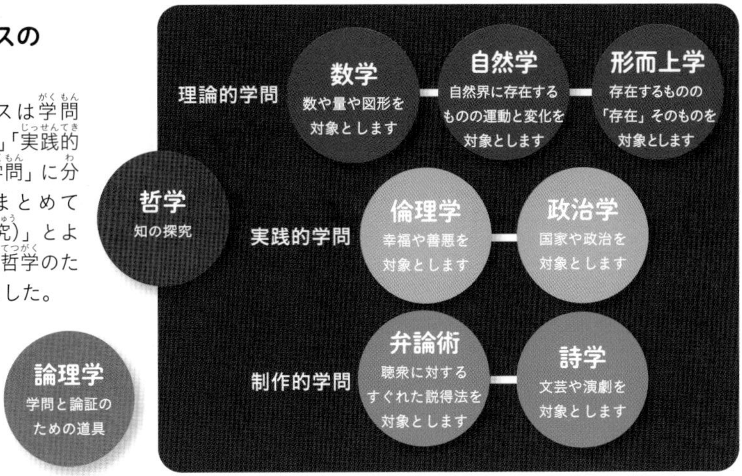

下《した》は，ラファエロの絵画《かいが》『アテナイの学堂《がくどう》』にえがかれた，古代《こだい》ギリシャの哲学《てつがく》者《しゃ》たち。中心《ちゅうしん》に立《た》つのがプラトン（左《ひだり》）とアリストテレス（右《みぎ》）です。プラトンは天上《てんじょう》のイデアを指《ゆび》さし，アリストテレスは地上《ちじょう》に手《て》をかざしていて，二人《ふたり》の考《かんが》えのちがいが対比《たいひ》されています。二人《ふたり》が抱《かか》え持《も》っている本《ほん》は，おのおのの著書《ちょしょ》です（プラトンは『ティマイオス』，アリストテレスは『ニコマコス倫理学《りんりがく》』）。

Column

コーヒーブレーク

「真空《しんくう》」をめぐる古代《こだい》ギリシャの大論争《だいろんそう》

空虚《くうきょ》の存在《そんざい》をめぐる対立《たいりつ》

デモクリトスらは，物質《ぶっしつ》は「原子《げんし》」からできていて，原子《げんし》は空虚《くうきょ》の中《なか》を移動《いどう》すると主張《しゅちょう》しました（左《ひだり》）。一方《いっぽう》，アリストテレスは，万物《ばんぶつ》は，「火《ひ》」「水《みず》」「土《つち》」「空気《くうき》」からなるとし，空虚《くうきょ》の存在《そんざい》を否定《ひてい》しました（右《みぎ》）。また，天界《てんかい》（宇宙《うちゅう》）もエーテルとよばれる第五《だいご》の元素《げんそ》で満《み》たされていると考《かんが》えていました。

古《こ》代《だい》ギリシャでは「真空《しんくう》」をめぐって，はげしい論争《ろんそう》がくり広《ひろ》げられていました。古代《こだい》ギリシャの哲学者《てつがくしゃ》で，最初《さいしょ》に「無《む》（非《ひ》存在《そんざい》）」について深《ふか》く考《かんが》えたのは，パルメニデス（前《ぜん》515ごろ～前《ぜん》445ごろ）だといわれています。パルメニデスは，「有《あ》らぬもの（非存《ひそん》在《ざい》，無《む》）」はないと主張《しゅちょう》しました。

一方《いっぽう》，「原子論《げんしろん》」の提唱者《ていしょうしゃ》レウキッポスとデモクリトスは，真空《しんくう》（空虚《くうきょ》）の存在《そんざい》を認《みと》めました（22ページ）。

このあと登場《とうじょう》したアリストテレスは，宇宙《うちゅう》は有限《ゆうげん》であり，あらゆる場所《ばしょ》が目《め》に見《み》えない物質《ぶっしつ》で満《み》たされていて，空虚《くうきょ》な空間《くうかん》などは存《そん》在《ざい》しないと考《かんが》えました。さらに，「自然《しぜん》は真空《しんくう》をきらう」といって，何《なに》もない空間《くうかん》である空虚《くうきょ》に原子《げんし》が散《ち》らばって存在《そんざい》するという考《かんが》えを否定《ひてい》したのです。**この考《かんが》え方《かた》は，その後《ご》，2000年《ねん》もの長《なが》きにわたって信《しん》じられました。**

Column

コーヒーブレーク

東洋哲学《とうようてつがく》で考《かんが》える「存在《そんざい》」とは

本書《ほんしょ》では，ヨーロッパで発展《はってん》をとげた「西洋哲学《せいようてつがく》」を中《ちゅう》心《しん》に紹介《しょうかい》しています。しかし，哲《てつ》学的《がくてき》な営《いとな》みが行《おこな》われたのは，西洋《せいよう》だけではありません。インドやイスラム諸国《しょこく》，日本《にほん》といった，東洋《とうよう》といわれるエリアでも，それぞれの哲学《てつがく》が発展《はってん》していったのです。「東洋哲学《とうようてつがく》」についても少《すこ》しふれておきましょう。

日本《にほん》では古《ふる》くから，仏教《ぶっきょう》が広《ひろ》く信仰《しんこう》されてきました。現在《げんざい》，日本《にほん》の仏教《ぶっきょう》にはさまざまな宗派《しゅうは》がありますが，「空《くう》」の思想《しそう》とよばれる基《き》本思想《ほんしそう》が説《と》かれていることは，宗《しゅう》派《は》によらず仏教全般《ぶっきょうぜんぱん》で共通《きょうつう》しています。空《くう》の思想《しそう》は，仏教《ぶっきょう》における重要《じゅうよう》な哲学的思想《てつがくてきしそう》の一《ひと》つなのです。

仏教《ぶっきょう》の教典《きょうてん》である「般若心経《はんにゃしんぎょう》」には，「色即是空《しきそくぜくう》」という言葉《ことば》が出《で》てきます。「色《しき》」とは，この世《よ》のすべての物質《ぶっしつ》や現象《げんしょう》を意味《いみ》しています。「空《くう》」とは，「うつろな」という意味《いみ》をもっています。つまり，色《しき》即是空《そくぜくう》とは，「この世《よ》のすべての事物《じぶつ》は空《くう》（うつろ）である」という教《おし》えだといえます。

ただし，この「空《くう》」とは，何《なに》も存《そん》在《ざい》しない「無《む》」のことではありません。**「空《くう》」は，「すべての事物《じぶつ》はなんらかの原因《げんいん》（因縁《いんねん》）によって今《いま》，その姿《すがた》をしているだけで，不《ふ》変《へん》の実体《じったい》などない」ということを意味《いみ》しています。**目《め》の前《まえ》の物体《ぶったい》も自分《じぶん》の肉体《にくたい》も人生《じんせい》の苦楽《くらく》も，時々《じじ》刻々《こっこく》と変化《へんか》する“うつろなもの”でしかないという考《かんが》えなのです。

龍樹《りゅうじゅ》（ナーガールジュナ）

2世紀《せいき》ごろのインドの僧《そう》です。それまでの仏教《ぶっきょう》においても存在《そんざい》した「空《くう》の思想《しそう》」を発展《はってん》させ，体系化《たいけいか》しました。龍樹《りゅうじゅ》がまとめた空《くう》の思想《しそう》をもとに，般若心経《はんにゃしんぎょう》がつくられました。

2

哲学《てつがく》は科学《かがく》のタネ
13世紀《せいき》〜17世紀《せいき》ごろ

古代《こだい》ギリシャにはじまった哲学《てつがく》は，13 世紀《せいき》以《い》降《こう》ヨーロッパで大《おお》きな発展《はってん》をとげました。「真《しん》の知《ち》」を探究《たんきゅう》した哲学者《てつがくしゃ》たちのさまざまな思《し》考《こう》や実験《じっけん》が，やがて産声《うぶごえ》をあげる「科学《かがく》」の基礎《きそ》になったのです。「中世哲学《ちゅうせいてつがく》」が科学《かがく》を生《う》みだすまでの軌跡《きせき》をたどりましょう。

すべて存在するか疑わしい……
しかし
Cogito《コギト》, ergo《エルゴ》 sum《スム》!
（我思う，ゆえに我あり！）
3+5=8

イスラムから逆輸入《ぎゃくゆにゅう》された アリストテレスの哲学《てつがく》

キリスト教《きょう》の普及《ふきゅう》とともに，哲学《てつがく》の多《おお》くはヨーロッパから失《うしな》われる

哲学《てつがく》はおよそ1000年《ねん》の時《とき》を経《へ》て，イスラムからヨーロッパに再流入《さいりゅうにゅう》した

イスラムでは，古代《こだい》ギリシャ哲学《てつがく》に関《かん》する書物《しょもつ》がアラビア語《ご》に翻訳《ほんやく》され，その思想《しそう》は「イスラム哲学《てつがく》」へと受《う》けつがれていきます。イスラム哲学《てつがく》がさかえたのは9世紀《せいき》から12世紀《せいき》ごろ。下のイラストはイスラム哲学《てつがく》の基礎《きそ》を築《きず》いた，代表的《だいひょうてき》な哲学者《てつがくしゃ》たちです。

キンディー
(800ごろ～870ごろ)

古代《こだい》ギリシャ哲学《てつがく》に関《かん》する書物《しょもつ》をアラビア語《ご》に翻訳《ほんやく》し，イスラム哲学《てつがく》がはじまるきっかけをつくりました。数学《すうがく》，医学《いがく》，天文学《てんもんがく》などの諸学《しょがく》に精通《せいつう》していたとされています。

ファーラービー
(870ごろ～950)

アリストテレスやプラトンの著作《ちょさく》の注釈書《ちゅうしゃくしょ》をしるし，イスラム哲学《てつがく》の基礎《きそ》を築《きず》きました。イスラムの哲学者《てつがくしゃ》たちからは，アリストテレスに次《つ》ぐ「第二《だいに》の師《し》」とよばれました。

イブン・シーナー
(980～1037)

哲学《てつがく》，医学《いがく》をはじめ，さまざまな学問《がくもん》に精通《せいつう》し，多数《たすう》の著作《ちょさく》を残《のこ》しました。18歳《さい》にして図書館《としょかん》の本《ほん》をすべて読破《どくは》し，「万学《ばんがく》をきわめた」とされています。

古《こ》代《だい》ギリシャで発展《はってん》した哲学《てつがく》は，およそ1000年《ねん》もの間《あいだ》，ヨーロッパで不遇《ふぐう》の時代《じだい》を送《おく》ります。

キリスト教《きょう》の普及《ふきゅう》とともに，哲学《てつがく》はヨーロッパの人々《ひとびと》から重視《じゅうし》されなくなり，自然観察《しぜんかんさつ》の重要性《じゅうようせい》をとなえたアリストテレスの哲学《てつがく》は，原型《げんけい》をほぼ失《うしな》ってしまいました。哲学《てつがく》は古《こ》代《だい》ギリシャ時代《じだい》のような合理性《ごうりせい》を失《うしな》い，宗教的側面《しゅうきょうてきそくめん》の強《つよ》いものとなったのです。

ところがイスラムでは，古代《こだい》ギリシャ哲学《てつがく》に関《かん》する書物《しょもつ》がアラビア語《ご》に翻訳《ほんやく》され，脈々《みゃくみゃく》と受《う》けつがれていました。そして，11世紀末《せいきまつ》から約《やく》200年《ねん》にわたって行《おこな》われた「十字軍遠征《じゅうじぐんえんせい》」でイスラムとヨーロッパがまじわったことにより，古代《こだい》ギリシャ哲学《てつがく》の原型《げんけい》がヨーロッパに再流入《さいりゅうにゅう》します。ヨーロッパに最《もっと》も影響《えいきょう》をあたえたイスラムの哲学者《てつがくしゃ》は，イブン・ルシュド（1126～1198）です。ルシュドがしるしたアリストテレスの著作《ちょさく》の注釈書《ちゅうしゃくしょ》（解説書《かいせつしょ》）は，13世紀《せいき》ごろにラテン語《ご》に翻訳《ほんやく》されて広《ひろ》まりました。

こうしてアリストテレスの哲学《てつがく》は，ヨーロッパでふたたび注目《ちゅうもく》されることになったのです。

ルシュドはアリストテレスの著作《ちょさく》の注釈書《ちゅうしゃくしょ》をしるし，ヨーロッパでアリストテレスの哲学《てつがく》がふたたび注目《ちゅうもく》を浴《あ》びるきっかけをつくりました。ヨーロッパではラテン名《めい》の「アヴェロエス」としても知《し》られています。

哲学は科学のタネ 13世紀～17世紀ごろ

神学《しんがく》と哲学《てつがく》を“かみそり”で切《き》りはなす

「神《かみ》」を哲学《てつがく》から切《き》りはなし，哲学《てつがく》は新《あら》たな発展《はってん》をとげる

オッカムが神学《しんがく》と哲学《てつがく》を切《き》りはなす

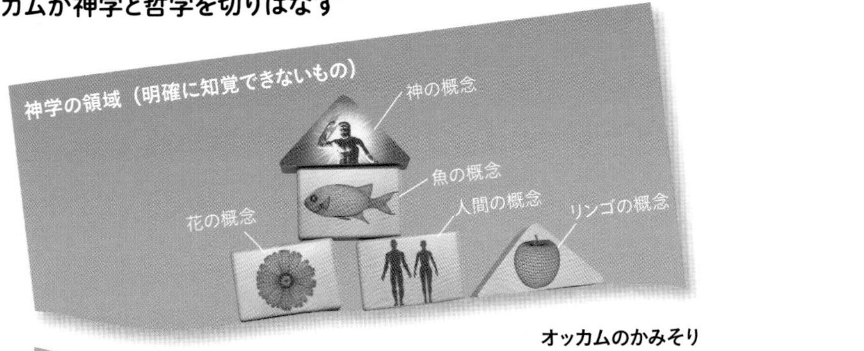

図《ず》は神学《しんがく》の領域《りょういき》（明確《めいかく》に知覚《ちかく》できないもの）を，哲学《てつがく》の領域《りょういき》（明確《めいかく》に知覚《ちかく》できるもの）からかみそりで切《き》りはなすイメージです。AさんやBさんといった個別《こべつ》の人物《じんぶつ》や，リンゴAやリンゴBといった1個《こ》1個《こ》のリンゴなどは明確《めいかく》に知覚《ちかく》できるものに含《ふく》まれ，人間《にんげん》の概念《がいねん》やリンゴの概念《がいねん》などは明確《めいかく》に知覚《ちかく》できないものに含《ふく》まれます。

アリストテレスの哲学《てつがく》は，ふたたびヨーロッパの人々《ひとびと》に広《ひろ》く受容《じゅよう》されながらも，キリスト教《きょう》との軋轢《あつれき》を生《う》んでしまいます。たとえば，アリストテレスの哲学《てつがく》では「世界《せかい》にはじまりはない」と考《かんが》えられ，キリスト教《きょう》では「世界《せかい》は神《かみ》によって創造《そうぞう》された」と説《と》いていました。**そういったさまざまな相違《そうい》が，はげしい衝《しょう》突《とつ》を招《まね》いたのです。**

そんな中《なか》，神学者《しんがくしゃ》トマス・アクィナス（1225ごろ～1274）は，哲学《てつがく》の理性的《りせいてき》な姿勢《しせい》を肯定《こうてい》しつつも，「神《しん》学《がく》」こそが最上位《さいじょうい》の学問《がくもん》であり，哲学《てつがく》はその下《した》に位置《いち》するととなえました。

これに対《たい》し，神学者《しんがくしゃ》で哲学者《てつがくしゃ》のオッカム（1285～1347）は，神学《しんがく》と哲《てつ》学《がく》の分離《ぶんり》をとなえました。オッカムは「明確《めいかく》に知覚《ちかく》できない（十分《じゅうぶん》な根《こん》拠《きょ》をもたない）存在《そんざい》や概念《がいねん》を認《みと》めるべきではない」「必要以上《ひつよういじょう》の仮定《かてい》はするべきではない」と主張《しゅちょう》しました。**この「オッカムのかみそり」とよばれる考《かんが》えによって，観察《かんさつ》（経験《けいけん》）を重《じゅう》視《し》する哲学《てつがく》と，神《かみ》などの概念《がいねん》を用《もち》いる神学《しんがく》が切《き》りはなされ，哲学《てつがく》が発展《はってん》するきっかけになったのです。**

トマス・アクィナス
（1225ごろ～1274）

イタリア生《う》まれの神学者《しんがくしゃ》。神学《しんがく》を最上位《さいじょうい》の学問《がくもん》とし，その下《した》に哲学《てつがく》を置《お》きました。『神《しん》学大全《がくたいぜん》』をしるし，当時《とうじ》の神学《しんがく》をわかりやすくまとめた人物《じんぶつ》としても知《し》られています。

オッカム
（1285～1347）

イギリスのオッカム村《むら》生《う》まれの神学者《しんがくしゃ》・哲《てつ》学者《がくしゃ》。「オッカムのウィリアム」とよばれることもあります。神学《しんがく》と哲学《てつがく》を切《き》りはなす役割《やくわり》を果《は》たしました。

Column

コーヒーブレーク

科学者《かがくしゃ》が幽霊《ゆうれい》の存在《そんざい》を信《しん》じないのはなぜ？

ほとんどの科学者《かがくしゃ》（や科学雑《かがくざっ》誌《し》の編集者《へんしゅうしゃ》）は，幽霊《ゆうれい》や超《ちょう》能力《のうりょく》，宇宙人《うちゅうじん》の乗《の》り物《もの》としてのUFOなどの存在《そんざい》を信《しん》じていないようです。なぜでしょうか？　**個《こ》別《べつ》の事情《じじょう》はいろいろあるでしょうが，「それらの存在《そんざい》を仮定《かてい》する必《ひつ》然性《ぜんせい》がないから」というのが大《おお》きな理由《りゆう》の一《ひと》つでしょう。**

科学者《かがくしゃ》たちが，よく判断《はんだん》の指針《ししん》とするものに，前《ぜん》ページで紹介《しょうかい》した「オッカムのかみそり」があります。「ある現象《げんしょう》を説明《せつめい》するのに必要《ひつよう》な仮定《かてい》は，少《すく》ないほうがよい」というものです。「思考経済《しこうけいざい》の法則《ほうそく》」「科学的単純性《かがくてきたんじゅんせい》の原則《げんそく》」などのいい方《かた》をすることもあります。

たとえば，夜《よる》，だれもいないはずの部屋《へや》から物音《ものおと》がしたとしましょう。「幽霊《ゆうれい》のしわざではないか」と考《かんが》える人《ひと》もいるかもしれませんが，この場合《ばあい》の「幽霊《ゆうれい》の存在《そんざい》」は，“よけいな仮定《かてい》”だといえます。外《そと》と部屋《へや》の中《なか》の気圧差《きあつさ》が原因《げんいん》で空気《くうき》の流《なが》れ（風《かぜ》）が生《しょう》じ，何《なに》かが動《うご》いて音《おと》が生《しょう》じたのかもしれませんし，夜《よる》になって気温《きおん》が下《さ》がり，その結《けっ》果《か》，建物《たてもの》の何《なに》かがちぢんで，そのはずみで音《おと》が生《しょう》じたのかもしれません。**幽霊《ゆうれい》の存在《そんざい》などというよけいな仮定《かてい》をしなくても，すでに知《し》られている「気圧差《きあつさ》による空気《くうき》の流《なが》れ」「温度《おんど》の低下《ていか》による物体《ぶったい》の収縮《しゅうしゅく》」などによって説明可能《せつめいかのう》ならば，そちらの説明《せつめい》を採用《さいよう》したほうが妥当《だとう》だろう，というわけです。**

「オッカムのかみそり」の考《かんが》え方《かた》を示《しめ》しました。ある現象《げんしょう》Xを説明《せつめい》するのに，左側《ひだりがわ》の仮説《かせつ》①ではA～Cの三《みっ》つの仮定《かてい》をしています。一方《いっぽう》，右側《みぎがわ》の仮説《かせつ》②では，AとBの二《ふた》つの仮定《かてい》で説明《せつめい》しています。この場合《ばあい》，より少《すく》ない仮定《かてい》で説明《せつめい》を行《おこな》っている仮説《かせつ》②を採用《さいよう》するのが妥当《だとう》だとするのが，オッカムのかみそりの考《かんが》え方《かた》です。

哲学は科学のタネ　13世紀〜17世紀ごろ

科学《かがく》と哲学《てつがく》の分離《ぶんり》が科学《かがく》を発展《はってん》させた

聖職者《せいしょくしゃ》がその身《み》を賭《と》して求《もと》めた真実《しんじつ》

14世紀《せいき》に神学《しんがく》と切《き》りはなされた哲学《てつがく》は，その後《ご》の中世後《ちゅうせいこう》期《き》および近世《きんせい》において，いちじるしい発展《はってん》をとげました。

たとえば，ポーランド出身《しゅっしん》の天文《てんもん》学者《がくしゃ》のニコラウス・コペルニクス（1473～1543）は，惑星《わくせい》の奇妙《きみょう》なふるまいを自然《しぜん》に説明《せつめい》する仮説《かせつ》として，地球《ちきゅう》も惑星《わくせい》の一《ひと》つだという「地動《ちどう》説《せつ》」をとなえました。そして，イタリアのガリレオ・ガリレイ（1564～1642）やドイツのヨハネス・ケプラー（1571～1630），イギリスのアイザック・ニュートン（1642～1727）といった自然哲学者《しぜんてつがくしゃ》たちが，地動説《ちどうせつ》を改良《かいりょう》し，天動説《てんどうせつ》に対《たい》する優位性《ゆういせい》をゆるぎないものにしていきました。

大地《だいち》は動《うご》かないという思《おも》いこみにとらわれない自由《じゆう》な思考《しこう》が，地動説《ちどうせつ》の発想《はっそう》につながったのです。

ニコラウス・コペルニクス
（1473～1543）

カトリック教会《きょうかい》の聖職者《せいしょくしゃ》でありながら天文学《てんもんがく》に強《つよ》い興味《きょうみ》を示《しめ》したポーランド出身《しゅっしん》の天文学者《てんもんがくしゃ》。それまで当然《とうぜん》のごとく信《しん》じられていた天動説《てんどうせつ》に疑《ぎ》問《もん》をもち，地動説《ちどうせつ》による宇宙《うちゅう》の体系《たいけい》を考《かんが》えました。ただし聖職者《せいしょくしゃ》という立場《たちば》から，当初《とうしょ》その論文《ろんぶん》は数人《すうにん》の友《ゆう》人《じん》に伝《つた》えられただけでした。地動説《ちどうせつ》が広《ひろ》く世間《せけん》に公表《こうひょう》されたのと同時《どうじ》に，コペルニクスは脳卒中《のうそっちゅう》で倒《たお》れ，翌年《よくとし》この世《よ》を去《さ》りました。

天動説《てんどうせつ》から地動説《ちどうせつ》へ

地球《ちきゅう》が宇宙《うちゅう》の中心《ちゅうしん》にあり，地球《ちきゅう》のまわりを太陽《たいよう》がまわっているとする「天動説《てんどうせつ》」から，太陽《たいよう》のまわりを地球《ちきゅう》がまわっているとする「地動説《ちどうせつ》」へと世界観《せかいかん》が転換《てんかん》したようすをえがきました。本来《ほんらい》の天動説《てんどうせつ》の図《ず》は，宇宙全《うちゅうぜん》体《たい》の中心《ちゅうしん》に巨大《きょだい》な地球《ちきゅう》があるというイメージですが，簡略化《かんりゃくか》して表現《ひょうげん》しています。

『観察《かんさつ》』と『実験《じっけん》』の重要性《じゅうようせい》を説《と》いたベーコン

思《おも》いこみを排除《はいじょ》して，実験《じっけん》によって正《ただ》しい知識《ちしき》を得《え》る

科《か》学《がく》と哲学《てつがく》とがせめぎ合《あ》う科《か》学《がく》の発展期《はってんき》に，「近代科学《きんだいかがく》の祖《そ》」とよばれる哲学者《てつがくしゃ》があらわれます。「正《ただ》しい知識《ちしき》を得《え》るための方法《ほうほう》」を提案《ていあん》したフランシス・ベーコン（1561〜1626）です。

ベーコンは，自然現象《しぜんげんしょう》を観察《かんさつ》する際《さい》には，思《おも》いこみ（イドラ）を捨《す》て去《さ》るべきだと主張《しゅちょう》しました。私《わたし》たちのさまざまな思《おも》いこみが観察《かんさつ》結果《けっか》をゆがめ，まちがった結論《けつろん》をみちびいてしまう可能性《かのうせい》を指摘《してき》したのです。

たとえば，教会《きょうかい》の権威《けんい》のもと，天《てん》動説《どうせつ》が正《ただ》しいと教《おし》えられていた人々《ひとびと》は，「天動説《てんどうせつ》は正《ただ》しい」という思《おも》いこみによって，観察結果《かんさつけっか》をゆがめてみてしまっていました。このような思《おも》いこみをすべて捨《す》てなければ，「地動説《ちどうせつ》」という，より合《ごう》理的《りてき》な結論《けつろん》にたどりつくことはできませんでした。

ベーコンはさらに，「実験《じっけん》」の重《じゅう》要性《ようせい》を説《と》きました。実験《じっけん》を重《かさ》ねて物体《ぶったい》の運動《うんどう》の法則《ほうそく》にせまったガリレオのように，注意深《ちゅういぶか》く実験《じっけん》を行《おこな》うことでこそ，新《あら》たな知識《ちしき》を少《すこ》しずつ獲得《かくとく》できる，としたのです。現《げん》在《ざい》では科学《かがく》の基本《きほん》とされている実《じっ》験《けん》の意義《いぎ》は，16世紀《せいき》から17世紀《せいき》にかけて確立《かくりつ》されたものなのです。

「知《ち》は力《ちから》なり」というベーコンの言葉《ことば》があります。これは，経験《けいけん》による知《ち》こそが自然《しぜん》を解明《かいめい》する力《ちから》であるという意味《いみ》です。思《おも》いこみを排除《はいじょ》した観察《かんさつ》と実験《じっけん》によって正《ただ》しい知識《ちしき》を得《え》る方法《ほうほう》を，ベーコンは「帰納法《きのうほう》」とよびました。**その慎《しん》重《ちょう》な態度《たいど》こそが，科学《かがく》の誕生《たんじょう》を強《つよ》く後押《あとお》ししたのです。**

フランシス・ベーコン
（1561 ～ 1626）

1561年《ねん》，イギリス生《う》まれ。法律家《ほうりつか》，政《せい》治家《じか》として活躍《かつやく》しながら，学問研究《がくもんけんきゅう》のあり方《かた》を説《と》いた哲学書《てつがくしょ》『学問《がくもん》の進歩《しんぽ》』を出版《しゅっぱん》します。60歳《さい》で政界《せいかい》を退《しりぞ》いたあとは哲学《てつがく》の研究《けんきゅう》に専念《せんねん》しましたが，雪《ゆき》の中《なか》，ニワトリの体《からだ》に雪《ゆき》をつめこむ冷《れい》凍《とう》の実験《じっけん》をしていたことが原因《げんいん》で肺炎《はいえん》にかかり，65歳《さい》で亡《な》くなりました。

ガリレオは『思考実験《しこうじっけん》』で地動説《ちどうせつ》を説明《せつめい》した

船《ふね》が止《と》まっていても動《うご》いていても，落《お》とした球《たま》の位置《いち》はかわらない

地《ち》球《きゅう》は宇宙《うちゅう》の中心《ちゅうしん》にあり，すべての天体《てんたい》は地球《ちきゅう》を中心《ちゅうしん》にまわっているという天動説《てんどうせつ》に対《たい》して，科学的《かがくてき》に異議《いぎ》をとなえたのはガリレオ・ガリレイです。

　当時《とうじ》の天動説《てんどうせつ》の支持者《しじしゃ》たちは，地動説《ちどうせつ》に対《たい》して，「地球《ちきゅう》が動《うご》いているのなら，真《ま》上《うえ》に投《な》げた球《たま》は手元《てもと》に戻《もど》ってこないはずだ」などと主張《しゅちょう》しました。

　そこでガリレオは，のちに「ガリレイの船《ふね》」とよばれる思考実験《しこうじっけん》※を行《おこな》いました。**そして，「仮《かり》に船《ふね》が止《と》まっていようと，静《しず》かに動《うご》いていようと，マスト（船《ふね》の帆《ほ》をはる柱《ばしら》）の上《うえ》から球《たま》を落《お》とせば，いつも球《たま》はマストの真下《ました》に落《お》ちる」と主《しゅ》張《ちょう》しました。これを「ガリレイの相対性《そうたいせい》原理《げんり》」といいます。**

　実際《じっさい》には，船《ふね》が加速《かそく》している場合《ばあい》やその場所《ばしょ》がゆれている場合《ばあい》などでは，物体《ぶったい》はもとの場所《ばしょ》に戻《もど》ることはありません。つまり，ガリレイの相対性原理《そうたいせいげんり》は，静止《せいし》している場所《ばしょ》か，等速直線運動《とうそくちょくせんうんどう》をしている場所《ばしょ》でしかなりたたないのです。

※：思考実験とは，哲学者や科学者が理論からみちびかれた現象を，思考のみで実験する方法です。相対性理論のような，壮大な物理法則を生みだした手法としても知られています。

1. 動《うご》く船《ふね》の上《うえ》でも球《たま》は真下《ました》に落《お》ちる

日常生活《にちじょうせいかつ》でも体験《たいけん》できるガリレイの船《ふね》

ガリレオの主張《しゅちょう》した相対性原理《そうたいせいげんり》は，日常生活《にちじょうせいかつ》でも体験《たいけん》することができます。たとえば，等速直線運動《とうそくちょくせんうんどう》をしている電車《でんしゃ》の中《なか》で，投《な》げた球《たま》はふたたび手元《てもと》に戻《もど》ってきます。しかし，電車《でんしゃ》がゆれているときやカーブに差《さ》しかかっているときには，手元《てもと》に戻《もど》りません。なぜならば，空中《くうちゅう》にある球《たま》は電車《でんしゃ》から何《なに》も力《ちから》を受《う》けないからです。

2. 地動説《ちどうせつ》

3. 地動説《ちどうせつ》が正《ただ》しくても球《たま》は手元《てもと》に戻《もど》る

世界《せかい》はほんとうに存在《そんざい》するといえるのか

すべてを疑《うたが》うことで気《き》づいた真実《しんじつ》とは

17世紀《せいき》，フランスの哲学者《てつがくしゃ》のルネ・デカルト（1596〜1650）は，「あらゆるものは存在《そんざい》しないのでは？」と疑《うたが》いました。その理由《りゆう》は，哲学者《てつがくしゃ》のベーコンが帰納法《きのうほう》をとなえた理由《りゆう》と同様《どうよう》に，「正《ただ》しい知識《ちしき》を得《え》るため」でした。前提《ぜんてい》となる知識《ちしき》や経験《けいけん》がまちがっていたら，そこからみちびかれる知識《ちしき》もまた，まちがったものになってしまいます。**そのためデカルトは，正《ただ》しい知識《ちしき》を得《え》るためには，まず絶対《ぜったい》に正《ただ》しい「第一原理《だいいちげんり》」をさがすことが必要《ひつよう》だと考《かんが》えたのです。**

デカルトは試行錯誤《しこうさくご》の結果《けっか》，「すべてを疑《うたが》っているこの意識《いしき》だけは確《たし》かに存在《そんざい》すること」に気《き》がつきます。そして「意識《いしき》が存在《そんざい》する」という命題《めいだい》が第一原理《だいいちげんり》だと考《かんが》え，ここから正《ただ》しい知識《ちしき》を積《つ》みあげ，哲学《てつがく》を一《いち》から再構築《さいこうちく》しようとしました。

デカルトの疑《うたが》いは，意識《いしき》の存在《そんざい》を前提《ぜんてい》とする哲学《てつがく》を生《う》みました。私《わたし》たち人間《にんげん》は，考《かんが》える「意識《いしき》」と機械的物体《きかいてきぶったい》としての「身体《しんたい》」でできていると考《かんが》えたのです。この考《かんが》え方《かた》を，「心身二元論《しんしんにげんろん》」といいます。

疑《うたが》わしきこの世界《せかい》

「私《わたし》」の存在《そんざい》だけは疑《うたが》えないとしたデカルトの考《かんが》えをえがきました。デカルトは，目《め》の前《まえ》の物体《ぶったい》も，自分自身《じぶんじしん》の肉体《にくたい》も，数学《すうがく》の計算《けいさん》結果《けっか》も，あらゆるものを疑《うたが》いました。

フランス生《う》まれの哲学《てつがく》者《しゃ》・数学者《すうがくしゃ》。著作《ちょさく》に『方《ほう》法序説《ほうじょせつ》』があります。

未来《みらい》はすべて決《き》まっているのかもしれない

あらゆる現象《げんしょう》の未来《みらい》は計算可能《けいさんかのう》

デカルトはあらゆる存在《そんざい》を疑《うたが》ったのち,「意識《いしき》が存在《そんざい》する」という命題《めいだい》を第一原理《だいいちげんり》にして,哲学《てつがく》を再構築《さいこうちく》しました。そして「物体《ぶったい》は存在《そんざい》する」という結論《けつろん》に達《たっ》しました。ここでいう「物体《ぶったい》」とは,大《おお》きさと形《かたち》だけをもつ,幾何学的《きかがくてき》な存在《そんざい》のことです。

この考《かんが》えは,「物体《ぶったい》は数学的《すうがくてき》に記述《きじゅつ》できるものだ」といいかえることができます。デカルトはこの考《かんが》えをもとにして,物《ぶっ》体《たい》の運動《うんどう》の法則《ほうそく》について研究《けんきゅう》しました。

デカルトはさらに,「自然《しぜん》の事物《じぶつ》」をすべて機械《きかい》の部品《ぶひん》のようなものだととらえました。天候《てんこう》の変化《へんか》も,動物《どうぶつ》の動《うご》きも,私《わたし》たちの身体機能《しんたいきのう》も,すべて数学的《すうがくてき》に解《と》き明《あ》かせると考《かんが》えたのです。**この考《かんが》えは「機械論的自然観《きかいろんてきしぜんかん》」とよばれています。**

機械論的自然観《きかいろんてきしぜんかん》は,「万物《ばんぶつ》の運動《うんどう》をすべて数学的《すうがくてき》に記述《きじゅつ》できるとすれば,あらゆる現象《げんしょう》の未来《みらい》は計算可能《けいさんかのう》だ」とする考《かんが》えが生《う》まれる一《ひと》つのきっかけになりました。**この考《かんが》えは,未来《みらい》はあらかじめ決《き》まっているという「決定論《けっていろん》」とよばれるものです。**

アイザック・ニュートン
（1642 ～ 1727）

イギリス生《う》まれ。運動《うんどう》の基本法則《きほんほうそく》をまとめたニュートン力学《りきがく》を構《こう》築《ちく》しました。現在《げんざい》では物理学《ぶつりがく》（科《か》学《がく》）とされるその研究分野《けんきゅうぶんや》は，当《とう》時《じ》は哲学《てつがく》に含《ふく》まれていました。

「未来《みらい》は決《き》まっている」という考《かんが》え方《かた》

原理的《げんりてき》には，アイザック・ニュートンが構築《こうちく》したニュートン力学《りきがく》の運動《うんどう》の法則《ほうそく》を使《つか》います。投《な》げられたサイコロの出目《でめ》は，サイコロの運動《うんどう》の軌跡《きせき》を計算《けいさん》すれば，サイコロが静止《せいし》する前《まえ》に知《し》ることができます。同《おな》じように，あらゆる現象《げんしょう》の未来《みらい》が計算可能《けいさんかのう》であるとすれば，それを知《し》ることができます。つまり，未来《みらい》はすでに決《き》まっていることになります。これが，「決定論《けっていろん》」とよばれる考《かんが》えです。

注：デカルト自身は精神が物理法則から自由だと考え，反決定論の立場をとっていました。

バナナを見《み》て「バナナ」だとわかるのはなぜか

経験《けいけん》によって知識《ちしき》を得《え》るイギリス哲学《てつがく》

私《わたし》たちがバナナを見《み》たときに,「バナナである」とわかるのはどうしてでしょうか? そんな疑問《ぎもん》について考《かんが》えたのが, イギリスの哲学者《てつがくしゃ》ジョン・ロック（1632～1704）です。

ロックは,「生《う》まれたばかりの赤《あか》ちゃんは“白紙《はくし》の状態《じょうたい》”であり, その後《ご》のさまざまな経験《けいけん》によって知識《ちしき》が書《か》きこまれていく」と考《かんが》えました。

たとえば, 人《ひと》はバナナから,「黄色《きいろ》い」「甘《あま》い」「細長《ほそなが》い」などの印象《いんしょう》（単純観念《たんじゅんかんねん》）を得《え》ます。この経験《けいけん》を重《かさ》ねていくと, 心《こころ》の中《なか》にバナナという「複合観念《ふくごうかんねん》」がつくられ, バナナをバナナと認識《にんしき》できるようになるというのです。

さらにロックは,「黄色《きいろ》くて甘《あま》いバナナ」という観念《かんねん》は, 心《こころ》の中《なか》にしか存在《そんざい》しないと考《かんが》えました。外《そと》の世界《せかい》のバナナの原型《げんけい》は, 大《おお》きさや形《かたち》しかないと仮定《かてい》し, 私《わたし》たちは色《いろ》やにおいを感《かん》じる「能力《のうりょく》」をもっているため, 心《こころ》の中《なか》に黄色《きいろ》くて甘《あま》いバナナという観念《かんねん》がつくりあげられると理解《りかい》したのです。

生後《せいご》の経験《けいけん》を重視《じゅうし》するロックの哲学《てつがく》は「経験論《けいけんろん》」とよばれ, イギリスで発展《はってん》していきました。**「イギリス哲学《てつがく》」は, のちに科学《かがく》の根幹《こんかん》をゆるがす考《かんが》えを生《う》みだしていきます。**

心《こころ》の中《なか》につくられたテーブルとバナナの観念《かんねん》

ロックの哲学《てつがく》をもとに, 私《わたし》たちがテーブルとバナナを認識《にんしき》するしくみをえがきました。色《いろ》やにおいは私《わたし》たちの心《こころ》の中《なか》にあらわれる観念《かんねん》であり, 外《そと》の世界《せかい》にある原型《げんけい》は大《おお》きさと形《かたち》しかもっていないと想定《そうてい》されます。

イギリス生《う》まれ。自然《しぜん》哲学《てつがく》や医学《いがく》に精通《せいつう》し、「イギリス経験論《けいけんろん》の父《ちち》」とよばれています。

ジョン・ロック
(1632 〜 1704)

さまざまな経験《けいけん》の蓄積《ちくせき》が知識《ちしき》を形成《けいせい》する

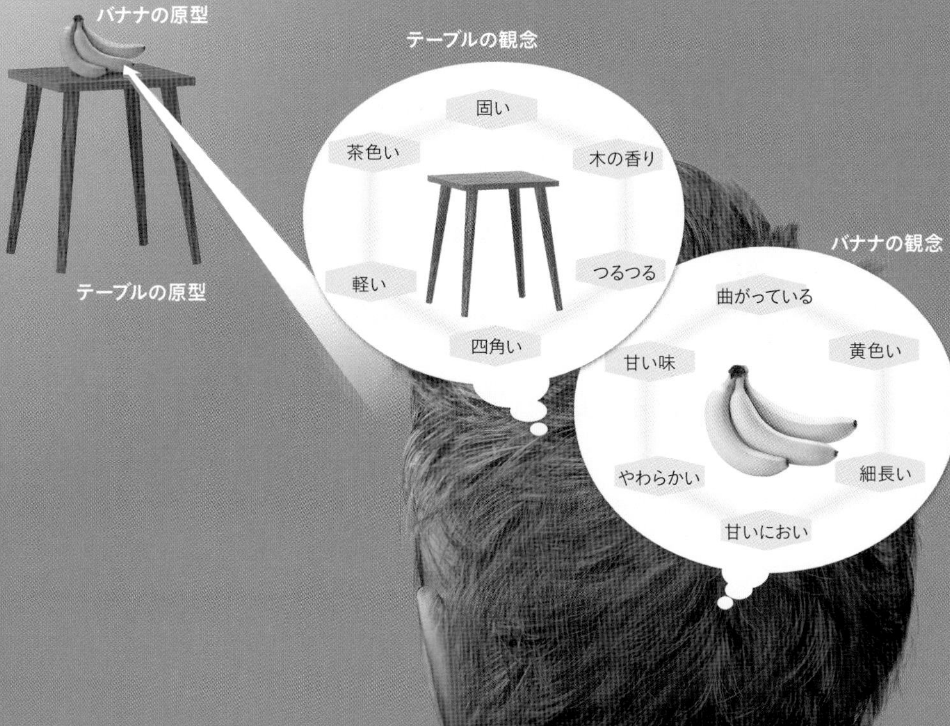

哲学は科学のタネ 13世紀～17世紀ごろ

哲学《てつがく》と科学《かがく》に名《な》を残《のこ》した先駆者《せんくしゃ》たち

観察重視《かんさつじゅうし》の哲学者《てつがくしゃ》たちが科学《かがく》を生《う》んだ!

科学《かがく》をつくりあげた主《おも》な哲学者《てつがくしゃ》たち

レオナルド・ダ・ヴィンチ
(1452 ～ 1519)
イタリア生まれ。芸術家として活躍しながら，さまざまな学問で業績を残しました。

フランシス・ベーコン
(1561 ～ 1626)
イギリス生まれ。思いこみを捨てて観察し，実験を行うことの重要性を説きました。

ヨハネス・ケプラー
(1571 ～ 1630)
ドイツ生まれ。惑星の運動に関する「ケプラーの法則」を発見し，地動説を支えました。

ブレーズ・パスカル
(1623 ～ 1662)
フランス生まれ。確率論の先駆者。流体の圧力に関する「パスカルの原理」を発見しました。

ジョン・ロック
(1632 ～ 1704)
イギリス生まれ。人は生後の経験によって知識を得るとする「経験論」をとなえました。

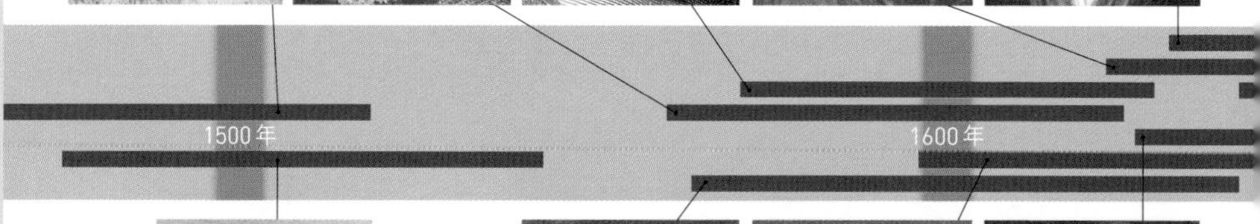

ニコラウス・コペルニクス
(1473 ～ 1543)
ポーランド生まれ。天体観測の結果をもとに，地動説をとなえました。

ガリレオ・ガリレイ
(1564 ～ 1642)
イタリア生まれ。天体観測や物理実験を行い，地動説を支持しました。

ルネ・デカルト
(1596 ～ 1650)
フランス生まれ。あらゆるものを疑い，哲学を一から再構築しました。

ロバート・ボイル
(1627 ～ 1691)
アイルランド生まれ。気体の体積と圧力に関する「ボイルの法則」を発見しました。

現《げん》在《ざい》では科学者《かがくしゃ》とよばれるガリレオもニュートンも，当時《とうじ》は哲学者《てつがくしゃ》だとされていました。自然法《しぜんほう》則《そく》の解明《かいめい》をめざした彼《かれ》らの研究《けんきゅう》は，古代《こだい》ギリシャからつづく「自然哲《しぜんてつ》学《がく》」に含《ふく》まれていたのです。

17世紀《せいき》ごろ，この自然哲学《しぜんてつがく》から一《いち》部《ぶ》が分離《ぶんり》する形《かたち》で「science（科学《かがく》）」が生《う》まれはじめます。自然哲学《しぜんてつがく》の中《なか》でも，とくに観察《かんさつ》や実験《じっけん》といった客《きゃっ》観的手法《かんてきしゅほう》を用《もち》いて知識《ちしき》を得《え》ようとする活動《かつどう》が，次第《しだい》にscienceとよばれるようになっていったのです。

scienceという言葉《ことば》は，14世紀《せいき》にはすでに存在《そんざい》していました。ただそのころは，「知識全般《ちしきぜんぱん》」を指《さ》す言葉《ことば》でした。それが18世紀《せいき》のはじめごろから，「観察《かんさつ》や実験《じっけん》によってみちびかれた法則《ほうそく》や知識《ちしき》」という限定《げんてい》された意《い》味《み》でも使《つか》われるようになります。**そして19世紀《せいき》の中《なか》ごろには，「客観《きゃっかん》性《せい》を重視《じゅうし》した研究《けんきゅう》およびその内容《ないよう》」という，現在《げんざい》の「科学《かがく》」とほぼ同《おな》じ意《い》味《み》で定着《ていちゃく》していたとされています。**

アイザック・ニュートン
（1642 ～ 1727）
イギリス生まれ。運動の基本法則をまとめ，ニュートン力学を構築しました。

レオンハルト・オイラー
（1707 ～ 1783）
スイス生まれ。物理学の数学化を推進。「オイラーの公式」の発見でも知られます。

イマヌエル・カント
（1724 ～ 1804）
ドイツ生まれ。新たな認識論をとなえ，引力と斥力による独自の自然観も提唱しました。

ウィリアム・ヒューウェル
（1794 ～ 1866）
イギリス生まれ。科学の歴史と哲学を探究し，「科学哲学」の重要性をとなえました。

ゴットフリート・ライプニッツ
（1646 ～ 1716）
ドイツ生まれ。ニュートンと同時期に微積分法を発見しました。

ジョージ・バークリ
（1685 ～ 1753）
アイルランド生まれ。経験論を受けつぎ，「非物質論」をとなえました。

デイヴィッド・ヒューム
（1711 ～ 1776）
スコットランド生まれ。因果関係を否定した独自の経験論をとなえました。

アントワーヌ・ラボアジエ
（1743 ～ 1794）
フランス生まれ。定量的な化学研究の道を開きました。

ハンス・エルステッド
（1777 ～ 1851）
デンマーク生まれ。ことなる力の統合をめざし，電流の磁気作用を発見しました。

Column

コーヒーブレーク

万能《ばんのう》の悪魔《あくま》が思考《しこう》を支配《しはい》する?

私《わたし》たちの知《し》らないうちに，自分《じぶん》の考《かんが》えが，万能《ばんのう》の悪魔《あくま》によってコントロールされていたら？　これは，48～49ページで紹介《しょうかい》したデカルトが考《かんが》えた「デーモン仮説《かせつ》」（悪《あく》霊《りょう》仮説《かせつ》）という思考実験《しこうじっけん》です。

多《おお》くの人《ひと》は，「悪魔《あくま》なんているはずがない！」と思《おも》うかもしれません。ですが，それも「悪魔《あくま》がそう思《おも》わせている」と考《かんが》えたら，すべては幻《まぼろし》になってしまいます。**つまり，この思《し》考実験《こうじっけん》によって私《わたし》たちは，感覚器官《かんかくきかん》を通《つう》じて「何《なに》かを知《し》る」ことの限界《げんかい》を知《し》ることができるのです。**

しかし，たとえすべてが悪魔《あくま》のつくりだした幻《まぼろし》だとしても，その幻《まぼろし》を見《み》たり実感《じっかん》したりしている「自意《じい》識《しき》」は，確《たし》かに存在《そんざい》しています。これはまさに，「我思《われおも》う，ゆえに我《われ》あり」というデカルトの言葉《ことば》どおりの現象《げんしょう》といえるでしょう。

デーモン仮説《かせつ》は，デカルト以後《いご》も形《かたち》をかえながら，さまざまな思考実《しこうじっ》験《けん》のテーマになっています。

参考文献：ルネ・デカルト『省察』（山田弘明訳・筑摩書房）

デーモン仮説《かせつ》は映画《えいが》の構想《こうそう》にも貢献《こうけん》した？

映画《えいが》『マトリックス』では，主人公《しゅじんこう》が現実《げんじつ》世界《せかい》だと感《かん》じているものは，実《じつ》はコンピューターによってつくられた仮想現実《かそうげんじつ》であったというところから話《はなし》がはじまります。「コンピューター」を「悪魔《あくま》」に置《お》きかえると，デーモン仮説《かせつ》の考《かんが》え方《かた》に通《つう》じます。

Column

コーヒーブレーク

神様《かみさま》に賭《か》けるのは数学的《すうがくてき》に正《ただ》しい？

神《かみ》の存在《そんざい》を科学的《かがくてき》に証明《しょうめい》はできませんが，確率《かくりつ》を用《もち》いて科学的《かがくてき》に考《かんが》えることはできます。

仮《かり》に神《かみ》を信《しん》じるのであれば，その確率《かくりつ》がたとえ1％であっても，神《かみ》が存在《そんざい》することで「永遠《えいえん》の命《いのち》」という無限《むげん》の価値《かち》がある報酬《ほうしゅう》が得《え》られるとします。神《かみ》が存在《そんざい》するということが無限《むげん》の価値《かち》をもたらすので，その期待値《きたいち》は無限大《むげんだい》です。

ところが，神《かみ》が存在《そんざい》しなければ，その信仰《しんこう》は徒労《とろう》に終《お》わってしまいます。現実世界《げんじつせかい》でどのくらい無駄《むだ》になるかわからないので，損失《そんしつ》は有限《ゆうげん》の値《あたい》（$-N_1$）で表現《ひょうげん》します。

次《つぎ》に神《かみ》を信《しん》じない場合《ばあい》についてみてみましょう。仮《かり》に神《かみ》が存在《そんざい》すれば，信《しん》じなかった罰《ばつ》として，有《ゆう》限《げん》の損失《そんしつ》（$-N_2$）をこうむることとします。また，神《かみ》が存在《そんざい》しなければ，有限《ゆうげん》の値《あたい》（N_3）の得《とく》をするとします。こう考《かんが》えると，報酬《ほうしゅう》の期待値《きたいち》はどんなに大《おお》きくても有限《ゆうげん》になります。

「神《かみ》が存在《そんざい》するに賭《か》ける」場合《ばあい》の期待値《きたいち》（A）

＝1％（神《かみ》が存在《そんざい》する確率《かくりつ》）×無限《むげん》大《だい》＋99％（神《かみ》が存在《そんざい》しない確率《かくりつ》）×（$-N_1$）＝**無限大《むげんだい》**

「神《かみ》が存在《そんざい》しないに賭《か》ける」場合《ばあい》の期待値《きたいち》（B）

＝99％（神《かみ》が存在《そんざい》しない確率《かくりつ》）×N_3＋1％（神《かみ》が存在《そんざい》したときの確《かく》率《りつ》）×（$-N_2$）＝**有限《ゆうげん》の値《あたい》**

こうして確率《かくりつ》の手法《しゅほう》を用《もち》いて判《はん》断《だん》すると，最《もっと》も期待値《きたいち》の高《たか》い選択《せんたく》は神《かみ》が存在《そんざい》する方《ほう》に賭《か》けることであり，得《とく》であるということになるのです。哲学者《てつがくしゃ》・科学者《かがくしゃ》として名《な》を残《のこ》したブレーズ・パスカル（1623～1662）は確率《かくりつ》を用《もち》いて，このような新《あたら》しい確率的《かくりつてき》な思考法《しこうほう》を示《しめ》しました。ただし，このパスカルの賭《か》けの話《はなし》は，無数《むすう》のたがいに対立《たいりつ》する宗教《しゅうきょう》で，同《おな》じ議論《ぎろん》がなりたってしまった場合《ばあい》，どれを信《しん》じればよいのかなどの批判《ひはん》もあります。

ブレーズ・パスカル
（1623 ～ 1662）

「人間《にんげん》は考《かんが》える葦《あし》である」という名言《めいげん》でも有名《ゆうめい》なパスカルは，30歳《さい》を過《す》ぎてからふたたび信仰《しんこう》に目覚《めざ》めたといわれます。その後《ご》，神《かみ》や信仰《しんこう》についてのさまざまな著述活動《ちょじゅつかつどう》を行《おこな》いました。

3

哲学《てつがく》はこうして発展《はってん》した

18世紀《せいき》〜20世紀《せいき》ごろ

科学《かがく》と哲学《てつがく》は，たがいに影響《えいきょう》をあたえながら，ともに発展《はってん》していきます。両者《りょうしゃ》はさまざまな問題《もんだい》へと立《た》ち向《む》かい，「科学哲学《かがくてつがく》」という新《あら》たな学問《がくもん》の分野《ぶんや》が育《はぐく》まれました。ここでは，科学哲学《かがくてつがく》の発展《はってん》の歴史《れきし》を通《つう》じて，哲学《てつがく》が成長《せいちょう》する姿《すがた》をみていきましょう。

哲学はこうして発展した　18世紀～20世紀ごろ

見《み》たりさわったりできない物《もの》は存在《そんざい》しない

経験《けいけん》できないものを疑《うたが》ったバークリの考《かんが》え方《かた》

※：しかし結局は，人間によって知覚可能なものであれば，そのとき人間によって知覚されていなくても，神によって知覚され，神の概念（イデア）として存在している，とバークリは考えました。

「背中側《せなかがわ》の世界《せかい》」は存在《そんざい》しない？

「存在《そんざい》するとは，知覚《ちかく》されることである」

ロックにはじまった経験論《けいけんろん》はバークリを経《へ》て，経験《けいけん》できないものを疑《うたが》うという方向《ほうこう》に発《はっ》展《てん》していきました。

私《わたし》たちは物《もの》を見《み》たりさわったりして，物《もの》がそこにあることを認識《にんしき》します。では，「とびらの向《む》こうのイス」のように，直接《ちょくせつ》見《み》たりさわったりできない物《もの》は，ほんとうに存在《そんざい》するのでしょうか？

ロックの経験論《けいけんろん》（52～53ページ）を受《う》けついだジョージ・バークリ（1685～1753）はそんな問《と》いを投《な》げかけ，「だれにも知覚《ちかく》されていない物《もの》は存在《そんざい》しない」と考《かんが》えました※。

ロックは，心《こころ》の外《そと》の世界《せかい》には大《おお》きさや形《かたち》だけをもつ原型《げんけい》があると仮定《かてい》しました。しかしバークリは，物《もの》の大《おお》きさや形《かたち》は色《いろ》やにおいなどと同《おな》じように，五感《ごかん》が刺激《しげき》されて生《しょう》じる心《こころ》の中《なか》の観念《かんねん》だと考《かんが》えたのです。**物質《ぶっしつ》の存在《そんざい》を認《みと》めないこのような立場《たちば》は，「非物質論《ひぶっしつろん》」とよばれています。**

現代《げんだい》の量子力学《りょうしりきがく》では，電子《でんし》などのミクロな粒子《りゅうし》の位置《いち》などは，観測《かんそく》してはじめて確定《かくてい》されるといいます。**これは，「観測《かんそく》によって世界《せかい》が形《かたち》づくられる」という点《てん》で，バークリの考《かんが》え方《かた》に非常《ひじょう》によく似《に》たものになっています。**

アイルランド生《う》まれの哲学者《てつかくしゃ》。キリスト教《きょう》の聖職者《せいしょくしゃ》でもあり，北大西洋《きたたいせいよう》のバミューダ諸島《しょとう》への布教計画《ふきょうけいかく》にも深《ふか》くかかわりますが，計画《けいかく》は予算《よさん》の問題《もんだい》で頓挫《とんざ》しました。

ジョージ・バークリ
（1685～1753）

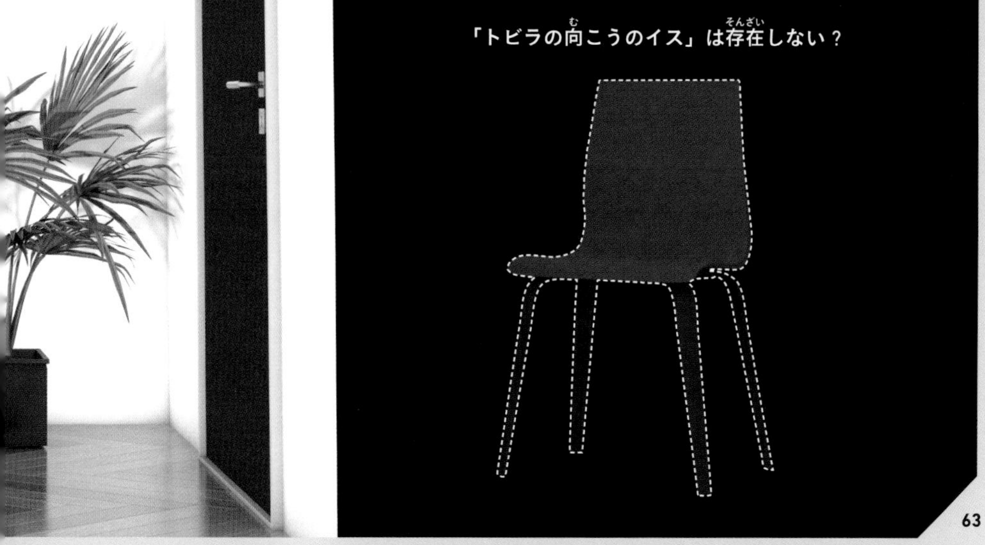

哲学はこうして発展した　18世紀～20世紀ごろ

原因《げんいん》と結果《けっか》は どこまで必然《ひつぜん》なのか

条件《じょうけん》が同《おな》じなら結果《けっか》も同《おな》じ，は幻想《げんそう》

経《けい》験論《けんろん》は，スコットランドのデイヴィッド・ヒューム（1711～1776）によって，大《おお》きな転換《てんかん》をむかえます。

ビリヤードで，手球《てだま》（白《しろ》い球《たま》）をキュー（棒《ぼう》）で突《つ》き，静止《せいし》した1番《ばん》の球《たま》に当《あ》てることを考《かんが》えましょう。手球《てだま》と1番《ばん》の球《たま》の衝突後《しょうとつご》の動《うご》きは，手球《てだま》の位置《いち》やキューで突《つ》くいきおいなどの条件《じょうけん》が完全《かんぜん》に同《おな》じであれば，何度《なんど》やっても同《おな》じになるはずです。しかしヒュームは，その考《かんが》え方《かた》はほんとうに正《ただ》しいのかと考《かんが》えました。

ヒュームは，「因果関係《いんがかんけい》」とは目《め》に見《み》える規則性《きそくせい》にすぎず，その背後《はいご》にある必然性《ひつぜんせい》のようなものを想定《そうてい》する部分《ぶぶん》については，幻想《げんそう》だと考《かんが》えていました。「球《たま》が衝突《しょうとつ》したこと」が「球《たま》が飛《と》んでいったこと」を引《ひ》きおこしたという因果関係《いんがかんけい》は，実《じつ》は習慣《しゅうかん》にみちびかれた推測《すいそく》にすぎません。つまり，どんなに実験《じっけん》をくりかえしても，因果関係《いんがかんけい》を用《もち》いて推測《すいそく》した結果《けっか》が，絶対《ぜったい》に正《ただ》しいものとなることはありません。**ヒュームは，「実験《じっけん》をもとに構築《こうちく》された理論《りろん》」の弱点《じゃくてん》を明《あき》らかにしました。**

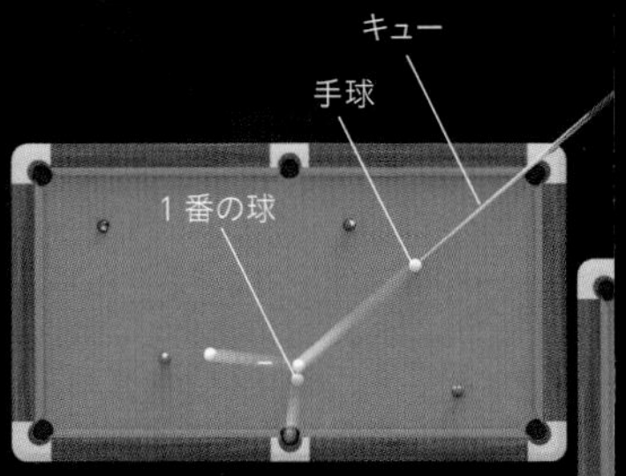

1回目
ポケットに1番の球が入る

デイヴィッド・ヒューム
（1711～1776）

スコットランド生《う》まれ。『人間本性論《にんげんほんしょうろん》』をはじめとする多数《たすう》の哲学書《てつがくしょ》や，歴史書《れきししょ》『イングランド史《し》』を発表《はっぴょう》しました。

球《たま》のはじかれ方《かた》は，1億《おく》1回目《かいめ》にかわるかもしれない

ビリヤードを例《れい》に，ヒュームの考《かんが》えをえがきました。同《おな》じ球《たま》の配置《はいち》で，同《おな》じように手球《てだま》（白《しろ》い球《たま》）を突《つ》いたとき，たとえ1億《おく》回同《かいおな》じように1番《ばん》の球《たま》がはじかれたとしても，1億《おく》1回目《かいめ》に球《たま》がまったくちがう方向《ほうこう》に飛《と》んでいく可能性《かのうせい》は否定《ひてい》できません。

2回目

ポケットに1番の球が入る

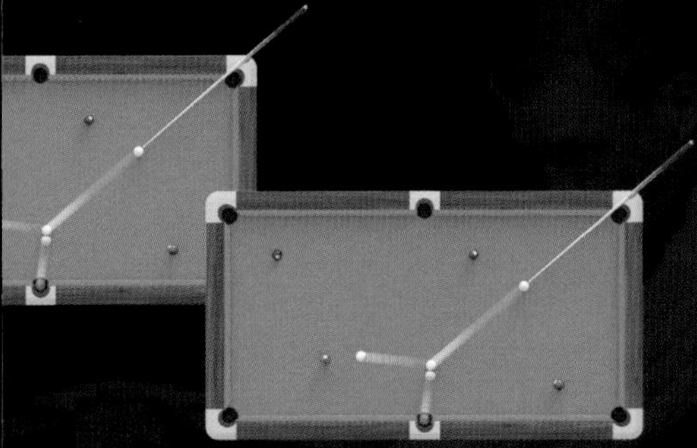

3回目

ポケットに1番の球が入る

1億回目

ポケットに1番の球が入る

1億1回目

まったくちがう方向に球が飛んでいく？

注：厳密には，「因果関係の問題」と「帰納の問題」を区別する必要があります。因果関係の問題は，過去に1億回おきた出来事の連鎖には，何か必然性があるのかという問題です。必然性があるのなら，次も同じようにおきると考える理由になります。帰納の問題は，過去に1億回おきたことでも，1億1回目も同じようにおきると考えていいのかという問題です。ヒュームは，因果関係の問題も帰納の問題も，同じようにおきると考える根拠がないと考えました。

ある現象《げんしょう》の原因《げんいん》を逆算《ぎゃくさん》して考《かんが》える

ベイズの定理《ていり》と確率《かくりつ》の考《かんが》え方《かた》

イギリスのトーマス・ベイズ（1702〜1761）は，「ベイズの定理《ていり》」の生《う》みの親《おや》です。**ベイズの定理《ていり》は，ある結果《けっか》が得《え》られたときに，その原因《げんいん》を数学的《すうがくてき》に推定《すいてい》するための定理《ていり》です**。ベイズの定理《ていり》の原型《げんけい》となる確率《かくりつ》の考《かんが》え方《かた》は，ベイズが数学者《すうがくしゃ》として残《のこ》した唯一《ゆいいつ》の論文《ろんぶん》にしるされました。それは，「ある結果《けっか》の原因《げんいん》がわからないときは，ありうるいろいろな原因《げんいん》を想定《そうてい》し，それぞれの原因《げんいん》からその結果《けっか》がどのくらいおきそうかを調《しら》べるといい。そこから，どの原因《げんいん》がいちばんありそうかを，逆算《ぎゃくさん》することができる」というものです。

ベイズは，論文《ろんぶん》を公表《こうひょう》しないまま，この世《よ》を去《さ》りました。論文《ろんぶん》は，ベイズの友人《ゆうじん》でウェールズの哲学者《てつがくしゃ》リチャード・プライス（1723〜1791）が，1763年《ねん》に出版《しゅっぱん》しました。そしてフランスの数学者《すうがくしゃ》ピエール＝シモン・ラプラス（1749〜1827）によって，ベイズの定理《ていり》は確率論《かくりつろん》の基礎《きそ》として位置《いち》づけられました。**原因《げんいん》についての確率《かくりつ》に注目《ちゅうもく》したベイズの考《かんが》え方《かた》は，結果《けっか》から原因《げんいん》の確《かく》率《りつ》を求《もと》める，のちの「ベイズ統計学《とうけいがく》」の土台《どだい》となりました。**

トーマス・ベイズ
（1702 ～ 1761）

ある著書《ちょしょ》で紹介《しょうかい》されたトーマス・ベイズの肖像画《しょうぞうが》です。ただしこれはベイズ本人《ほんにん》ではないという説《せつ》もあります。上《うえ》は，イギリスのタンブリッジ・ウェルズという町に残《のこ》る，ベイズが暮《く》らしたとされる住居《じゅうきょ》の写真《しゃしん》です。

哲学はこうして発展した　18世紀～20世紀ごろ

私《わたし》たちの認識《にんしき》が秩序《ちつじょ》だった世界《せかい》をつくる

逆転《ぎゃくてん》の発想《はっそう》で世界《せかい》をとらえたカントの哲学《てつがく》

イギリス哲学《てつがく》が経験論《けいけんろん》をとなえる一方《いっぽう》で，“大陸側《たいりくがわ》の哲学《てつがく》”は，「人《ひと》は生《う》まれながらにして，理性《りせい》や知識《ちしき》を神《かみ》よりあたえられている（大陸合理論《たいりくごうりろん》）」と考《かんが》えました。経験論《けいけんろん》には，「個別《こべつ》の経験《けいけん》からは，人類共通《じんるいきょうつう》の知《ち》は得《え》られない」との指摘《してき》があり，大陸合理論《たいりくごうりろん》は「神《かみ》の存在《そんざい》を前提《ぜんてい》とした理論《りろん》は理性的《りせいてき》ではない」といわれました。

この二《ふた》つの欠点《けってん》をおぎなう考《かんが》えを生《う》んだのが，ドイツのイマヌエル・カント（1724～1804）です。これまでの哲学《てつがく》は，「秩序《ちつじょ》だった世界《せかい》が先《さき》にあり，私《わたし》たちはそれを認識《にんしき》している」とされていました。しかしカントは，「私《わたし》たちの認識《にんしき》が，秩《ちつ》序《じょ》だった世界《せかい》をつくっている」と，逆転《ぎゃくてん》の発想《はっそう》で世界《せかい》をとらえたのです※。

カントは，私《わたし》たちは外《そと》の世界《せかい》にある「物自体《ものじたい》」を“フィルター”を通《とお》して認識《にんしき》している，と考《かんが》えました。“フィルター”は人類共通《じんるいきょうつう》のもので，認識《にんしき》によって皆《みな》が同《おな》じ世界《せかい》をつくっています。この世界《せかい》の中《なか》でなら，人類共通《じんるいきょうつう》の「客観的《きゃっかんてき》な知《ち》」を積《つ》みあげられると考《かんが》えたのです。

イマヌエル・カント
（1724～1804）

プロイセン王国《おうこく》（現《げん》・ドイツ）生《う》まれ。自然哲学《しぜんてつがく》にも関心《かんしん》があり，ニュートン力学《りきがく》の影響《えいきょう》を受《う》けて，ガスが集《あつ》まって太陽系《たいようけい》ができたとする「星雲説《せいうんせつ》」をとなえたことでも知《し》られています。

※：カントの考えは，バークリの哲学（62～63ページ）に少し似ていますが，「物自体」の存在を認めるという点でバークリのものとはことなります。

“フィルター”を通《とお》して認識《にんしき》している世界《せかい》

カントの考《かんが》えにもとづき，私《わたし》たちが世界《せかい》を認識《にんしき》しているしくみをえがきました。カントは，この“フィルター”をつくるものとして，人間《にんげん》の「悟《ご》性《せい》」と「感性《かんせい》」があるととなえました。

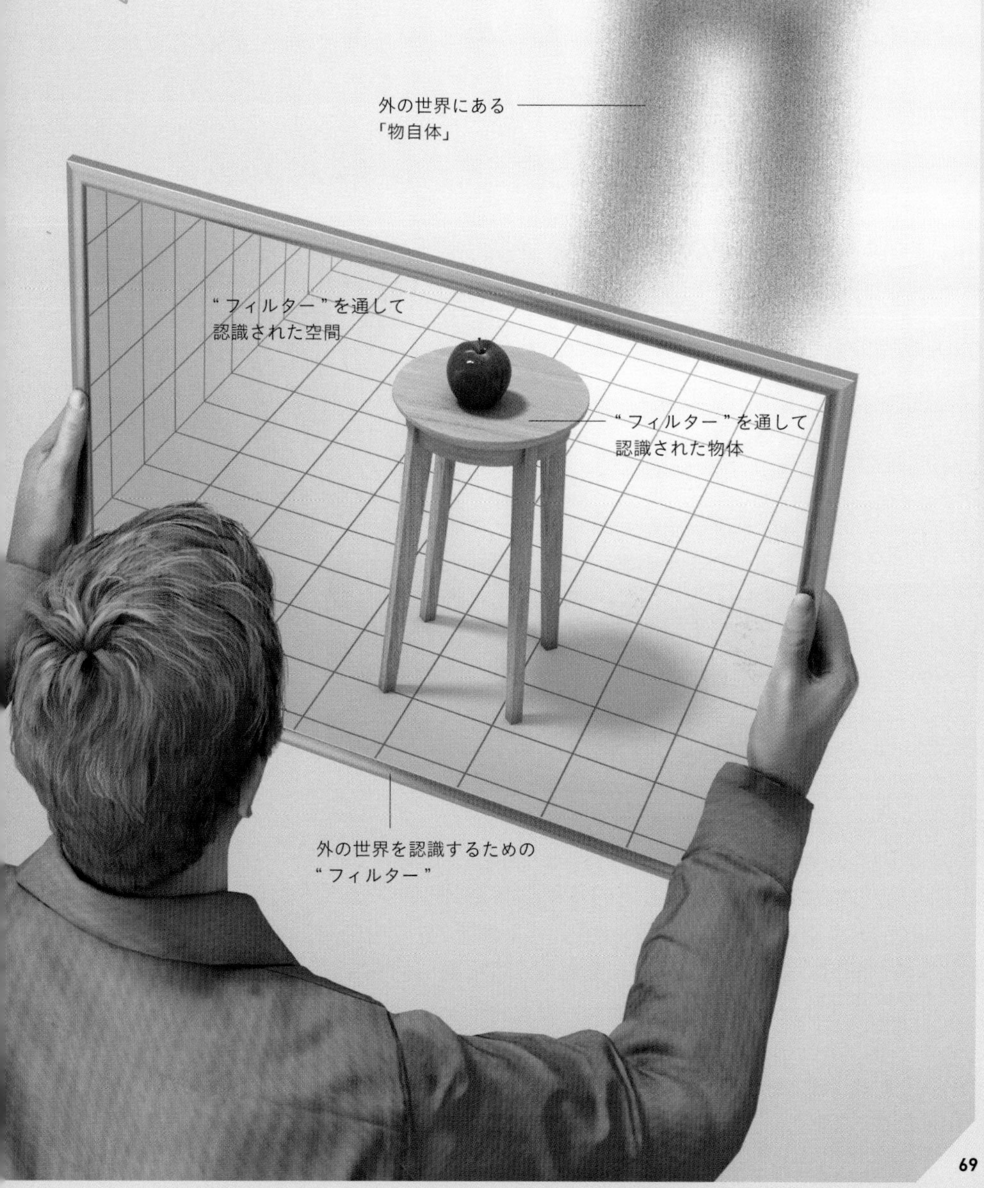

哲学はこうして発展した　18世紀〜20世紀ごろ

世界《せかい》は進歩《しんぽ》している という世界観《せかいかん》

現代《げんだい》では常識《じょうしき》の考《かんが》えは18世紀《せいき》に誕生《たんじょう》した

18世紀後半《せいきこうはん》からの産業革命《さんぎょうかくめい》によって，人々《ひとびと》の生活《せいかつ》が大《おお》きくかわりはじめた時代《じだい》に活躍《かつやく》したのが，ドイツの哲学者《てつがくしゃ》フリードリヒ・ヘーゲル（1770〜1831）です。

私《わたし》たちは，「科学《かがく》は今後《こんご》も発展《はってん》し，生活《せいかつ》はもっと便利《べんり》になっていく」と思《おも》っているかもしれません。しかしそのような世界観《せかいかん》は歴史《れきし》が浅《あさ》く，近代《きんだい》の哲学者《てつがくしゃ》たちによって生《う》みだされたといわれています。そのうちの一人《ひとり》がヘーゲルです。

それまで多《おお》くの人々《ひとびと》は，「世界《せかい》は変化《へんか》しない」と考《かんが》えていました。そんななか，ヘーゲルは「人類《じんるい》は究極的《きゅうきょくてき》な目標《もくひょう》に向《む》かって進歩《しんぽ》しつづけている」と主張《しゅちょう》したのです。歴史家《れきしか》でもあったヘーゲルは人類《じんるい》の社会構造《しゃかいこうぞう》の歴史《れきし》を俯瞰《ふかん》して，人類《じんるい》は対立《たいりつ》とその解消《かいしょう》をくりかえしながら，“よりよい状態《じょうたい》”へと進歩《しんぽ》をつづけてきたという歴史観《れきしかん》を示《しめ》しました。

この進歩《しんぽ》の原動力《げんどうりょく》は人類《じんるい》の「自由《じゆう》を求《もと》める精神《せいしん》」にあり，進歩《しんぽ》をつづけた先《さき》には人類《じんるい》が「真《しん》の自由《じゆう》」を獲得《かくとく》する未来《みらい》がある（進歩思想《しんぽしそう》）とヘーゲルは説《と》きました。

フリードリヒ・ヘーゲル
（1770〜1831）

ドイツ生《う》まれ。対立《たいりつ》とその解消《かいしょう》によってより高《たか》い次元《じげん》の結論《けつろん》をみちびく手法《しゅほう》（弁証法《べんしょうほう》）を重視《じゅうし》し，この世界《せかい》は，弁証法《べんしょうほう》によって“よりよい状態《じょうたい》”へと進歩《しんぽ》をつづけてきたと説《と》きました。

進歩《しんぽ》をつづける世界観《せかいかん》

ヘーゲルを代表《だいひょう》とする進歩思想《しんぽしそう》のイメージを，交通手段《こうつうしゅだん》の進歩《しんぽ》にたとえてえがきました。人類《じんるい》をとりまく世界《せかい》が進歩《しんぽ》しつづけているという考《かんが》えは，18世紀《せいき》に生《う》まれたものです。

進歩思想《しんぽしそう》が進化論《しんかろん》にも影響《えいきょう》をあたえた

生物《せいぶつ》は，過去《かこ》から未来《みらい》に向《む》かって変化《へんか》していく

チャールズ・ダーウィン
（1809 ～ 1882）

イギリス生《う》まれ。生物進化《せいぶつしんか》についてしるした『種《しゅ》の起源《きげん》』を 1859 年《ねん》に出版《しゅっぱん》しました。ダーウィンの進化論《しんかろん》は当時《とうじ》の宗教的《しゅうきょうてき》な生物観《せいぶつかん》をくつがえすものであったため，大《おお》きな論争《ろんそう》を巻《ま》きおこしました。

ヘーゲルに代表《だいひょう》される進歩思想《しんぽしそう》が，「進化論《しんかろん》」に影響《えいきょう》をあたえていたとする説《せつ》があります。進化論《しんかろん》とは，生物《せいぶつ》は神《かみ》が創造《そうぞう》した不変《ふへん》のものであるという当時《とうじ》の常識《じょうしき》を疑《うたが》い，「生物《せいぶつ》は長《なが》い時間《じかん》をかけて進化《しんか》してきたものだ」とする，18世紀《せいき》に生《う》まれた考《かんが》えです。

進歩思想《しんぽしそう》と進化論《しんかろん》は，「過去《かこ》から未来《みらい》に向《む》かって変化《へんか》しつづけている」という図式《ずしき》が共通《きょうつう》しており，たがいの主張《しゅちょう》に影響《えいきょう》をあたえていただろうと考《かんが》えられているのです。

ただし，進化論《しんかろん》の代表者《だいひょうしゃ》であるイギリスの生物学者《せいぶつがくしゃ》チャールズ・ダーウィン（1809 ～ 1882）は，進化《しんか》と進歩《しんぽ》は別物《べつもの》であるとし，進化《しんか》を“よりすぐれた方向《ほうこう》”への進歩《しんぽ》とは考《かんが》えませんでした。

ダーウィンに大《おお》きな影響《えいきょう》をあたえたガラパゴス諸島《しょとう》

チャールズ・ダーウィンは1831年《ねん》，イギリス海軍《かいぐん》の測量船《そくりょうせん》ビーグル号《ごう》で航海《こうかい》に出《で》ました。その途中《とちゅう》の1835年《ねん》にガラパゴス諸島《しょとう》に上陸《じょうりく》したダーウィンは，そこがさまざまな生物《せいぶつ》の変種《へんしゅ》の宝庫《ほうこ》であることにおどろき，採集《さいしゅう》し持《も》ち帰《かえ》りました。その研究《けんきゅう》から進化論《しんかろん》を発想《はっそう》し，『種《しゅ》の起源《きげん》』の執筆《しっぴつ》へとつながっていきます。写真《しゃしん》はガラパゴス諸島《しょとう》に生息《せいそく》するウミイグアナです。ウミイグアナは，唯一《ゆいいつ》ここだけで見《み》ることのできる，海《うみ》に潜《もぐ》って海藻《かいそう》を食《た》べるイグアナです。

哲学はこうして発展した 18世紀～20世紀ごろ

一般相対性理論《いっぱんそうたいせいりろん》のヒントになった原理《げんり》

200年《ねん》ごしのニュートン批判《ひはん》が大発見《だいはっけん》をみちびく

バケツが回転《かいてん》するのか，バケツ以外《いがい》が回転《かいてん》するのか

ニュートン力学《りきがく》にもとづく，絶対空間《ぜったいくうかん》の中《なか》で回転《かいてん》するバケツ（左《ひだり》）と，マッハの考《かんが》えにもとづく，静止《せいし》したバケツの周囲《しゅうい》を回《かい》転《てん》する宇宙《うちゅう》（右《みぎ》）をえがきました。マッハは，右《みぎ》のような場合《ばあい》でも，水面《すいめん》がへこむ可能性《かのうせい》は否定《ひてい》できないと主張《しゅちょう》しました。

エルンスト・マッハ
（1838 ～ 1916）

オーストリア生《う》まれ。哲学《てつがく》，物《ぶつ》理学《りがく》，科学史《かがくし》，心理学《しんりがく》と幅広《はばひろ》い分野《ぶんや》の研究《けんきゅう》を行《おこな》いました。音速《おんそく》を基準《きじゅん》にした速度《そくど》の単位《たんい》「マッハ数《すう》」は，彼《かれ》の名《な》に由来《ゆらい》します。

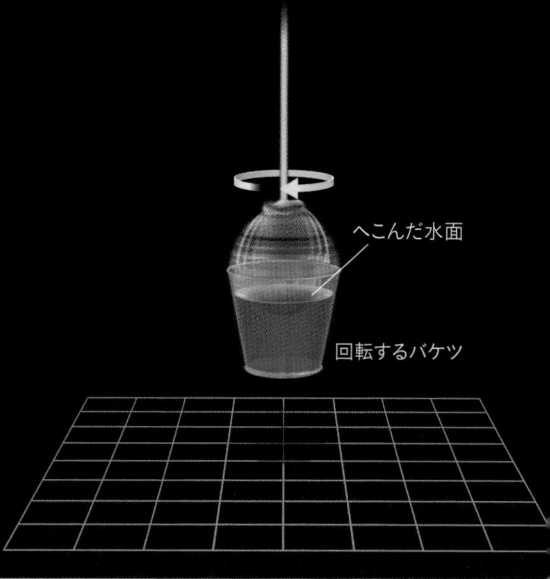

ニュートン力学《りきがく》では，物体《ぶったい》の運《うん》動《どう》を「絶対空間《ぜったいくうかん》の中《なか》で，物体《ぶったい》の位置《いち》が変化《へんか》すること」と考《かんが》えます。**しかし，ドイツのゴットフリート・ライプニッツ（1646〜1716）は，物《ぶっ》体《たい》の運動《うんどう》を「物体《ぶったい》どうしの相対的《そうたいてき》な位置関係《いちかんけい》が変化《へんか》すること」と考《かんが》え，絶対空間《ぜったいくうかん》を否定《ひてい》しました。**

そこでニュートンは，「何《なに》もない宇宙《うちゅう》で回転《かいてん》するバケツ」の思考実験《しこうじっけん》を行《おこな》い，バケツの水面《すいめん》がへこむのは，絶対空間《ぜったいくうかん》に対《たい》して回転《かいてん》しているからだと主張《しゅちょう》したのです。

200年後《ねんご》，論争《ろんそう》をむしかえしたのが，オーストリアのエルンスト・マッハ（1838〜1916）でした。マッハは，「たとえバケツと水《みず》が静止《せいし》していても，宇宙《うちゅう》にあるバケツと水以外《みずいがい》のすべてが相対的《そうたいてき》に回転《かいてん》していれば，その影響《えいきょう》で水面《すいめん》がへこむ可能性《かのうせい》は否《ひ》定《てい》できない」と主張《しゅちょう》しました（ただし根拠《こんきょ》はありませんでした）。**この考《かんが》えは，「マッハの原理《げんり》」とよばれています。**

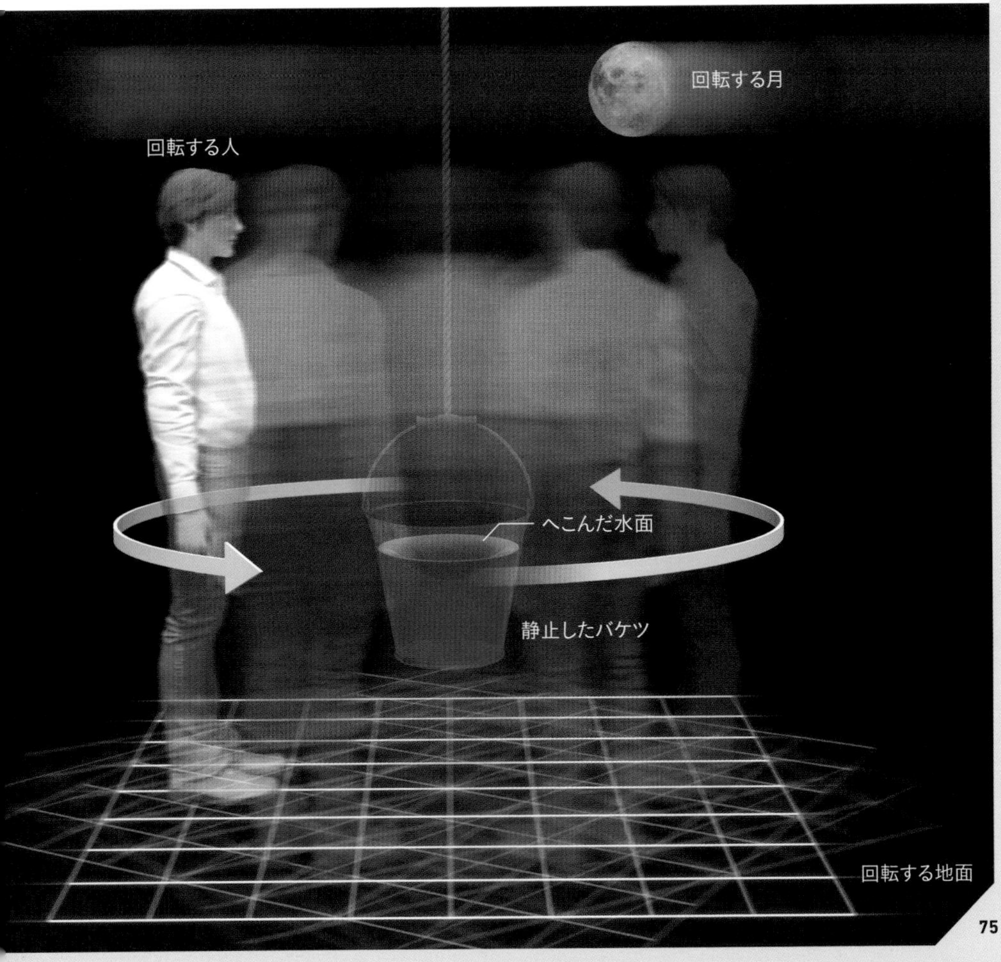

物理学《ぶつりがく》と心理学《しんりがく》は表裏一体《ひょうりいったい》？

実験《じっけん》と哲学的《てつがくてき》な考察《こうさつ》の両方《りょうほう》から研究可能《けんきゅうかのう》に

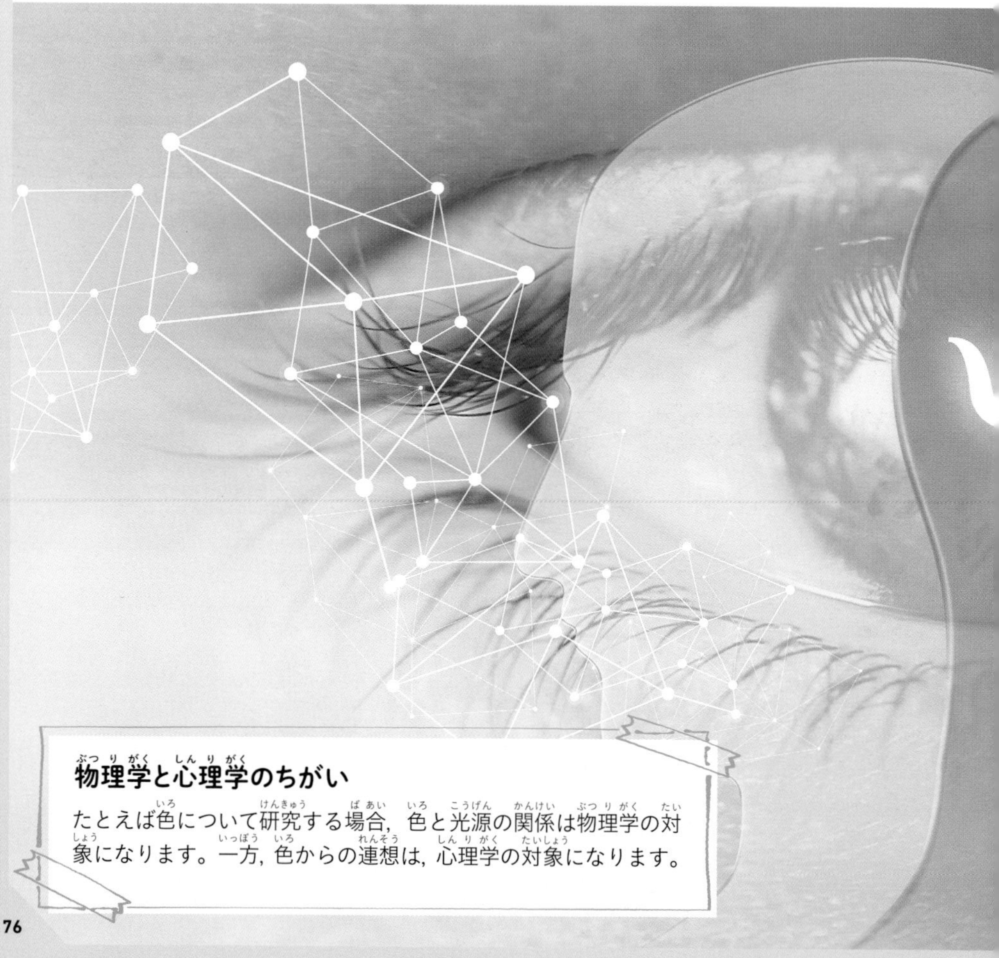

物理学《ぶつりがく》と心理学《しんりがく》のちがい

たとえば色《いろ》について研究《けんきゅう》する場合《ばあい》，色《いろ》と光源《こうげん》の関係《かんけい》は物理学《ぶつりがく》の対《たい》象《しょう》になります。一方《いっぽう》，色《いろ》からの連想《れんそう》は，心理学《しんりがく》の対象《たいしょう》になります。

マッハは，物理学《ぶつりがく》と心理学《しんりがく》の両《りょう》方《ほう》でも研究《けんきゅう》を行《おこな》っていました。**物理学《ぶつりがく》と心理学《しんりがく》にまたがるマッハの研究《けんきゅう》は，マッハ独自《どくじ》の存在論《そんざいろん》である「中立一元論《ちゅうりついちげんろん》」にそったものでした。**中立一元論《ちゅうりついちげんろん》とは，バークリの非物質論《ひぶっしつろん》と実在論《じつざいろん》の中間《ちゅうかん》のような立場《たちば》で，われわれが知覚《ちかく》する対象《たいしょう》が知覚《ちかく》されないところでも，世界《せかい》を形《かたち》づくっているという考《かんが》え方《かた》です。

マッハは，物理学《ぶつりがく》と心理学《しんりがく》でことなるのは，研究《けんきゅう》の方向性《ほうこうせい》だと考《かんが》えていました。たとえば色《いろ》について研究《けんきゅう》する場合《ばあい》，色《いろ》と光源《こうげん》の関係《かんけい》や，色《いろ》と温度《おんど》の関係《かんけい》，色《いろ》と空間《くうかん》の関係《かんけい》は，物《ぶつ》理学《りがく》の対象《たいしょう》になります。一方《いっぽう》，色《いろ》と錯覚《さっかく》などの研究《けんきゅう》は，心理学《しんりがく》の対象《たいしょう》となります。

マッハの研究《けんきゅう》は，「実験心理学《じっけんしんりがく》」の確立《かくりつ》につながりました。たとえば，“見《み》ること”はどういうことかという問題《もんだい》に対《たい》して，実験《じっけん》と哲学的《てつがくてき》な考《こう》察《さつ》の両方《りょうほう》から，研究《けんきゅう》することができるようになったのです。

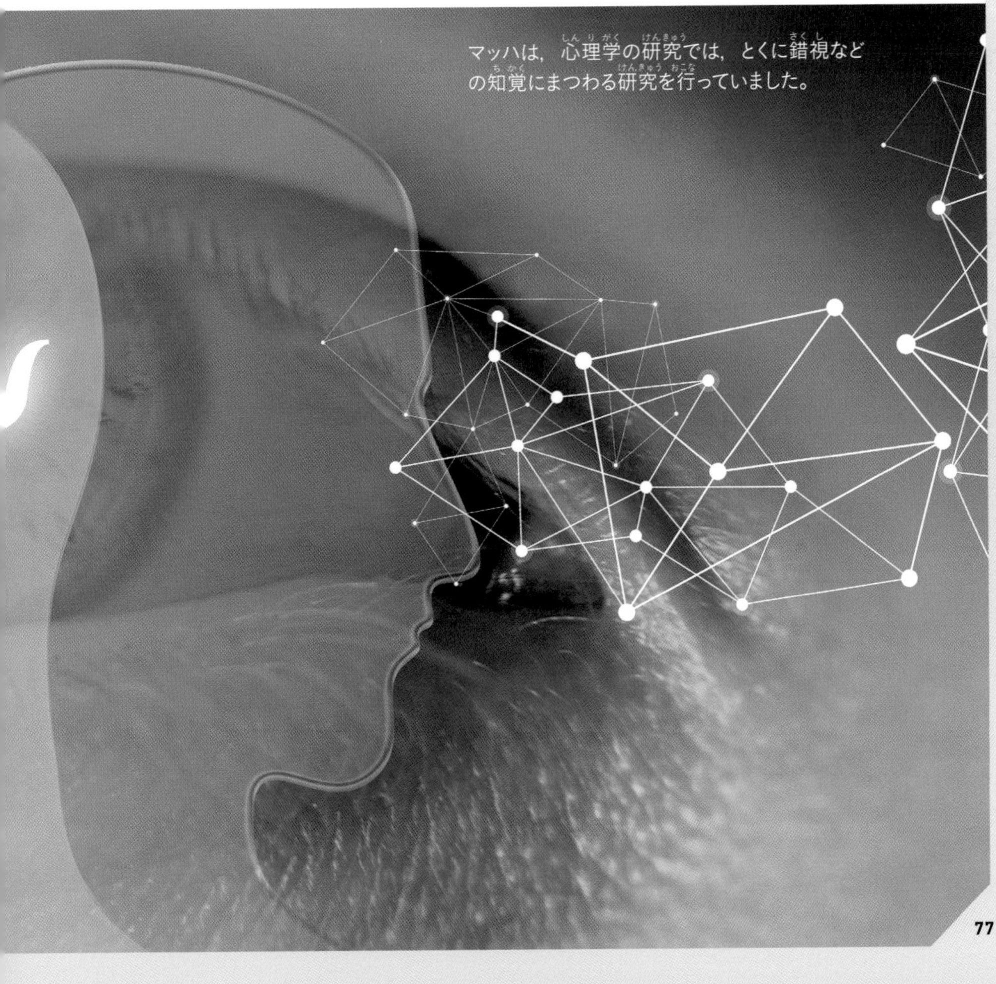

マッハは，心理学《しんりがく》の研究《けんきゅう》では，とくに錯視《さくし》などの知覚《ちかく》にまつわる研究《けんきゅう》を行《おこな》っていました。

哲学はこうして発展した　18世紀～20世紀ごろ

哲学《てつがく》の常識《じょうしき》をかえた フロイトの思想《しそう》

人《ひと》の行動《こうどう》は無意識《むいしき》に支配《しはい》されている

私《わたし》たちは，「自分《じぶん》の行動《こうどう》はすべて意識的《いしきてき》に決《き》めている」と思《おも》っています。しかし自身《じしん》の行動《こうどう》の動機《どうき》を，うまく説明《せつめい》できない場合《ばあい》もたくさんあるはずです。**この理由《りゆう》を，「無意識《むいしき》」によって説明《せつめい》したのが，心理学者《しんりがくしゃ》のジークムント・フロイト（1856～1939）でした。**フロイトは，「人《ひと》の行動《こうどう》は無意識《むいしき》に支配《しはい》されている」ととなえ，当時《とうじ》の哲学《てつがく》に大《おお》きな衝撃《しょうげき》をあたえました。

実《じつ》はそれまでの哲学《てつがく》では，意識《いしき》（心《こころ》）は理性《りせい》によって制御《せいぎょ》されている，絶対的《ざったいてき》に確《たし》かな存在《そんざい》だとみなされていました。しかしフロイトの提唱《ていしょう》によって，意識《いしき》は，自分《じぶん》では認識《にんしき》できない無意識《むいしき》に突《つ》き動《うご》かされる，信用《しんよう》できないものになってしまいました。心《こころ》や意識《いしき》について考《かんが》える際《さい》の，哲学《てつがく》の暗黙《あんもく》の前提《ぜんてい》が見直《みなお》され，「意識《いしき》とはいったい何《なに》なのか」という問《と》いがあらためて注目《ちゅうもく》されることになりました。

ジークムント・フロイト
（1856～1939）

オーストリア生《う》まれ。神経学者《しんけいがくしゃ》として学《まな》んだのち，30歳《さい》のとき，精神科医《せいしんかい》として開業《かいぎょう》します。無意識《むいしき》を診断《しんだん》する「精神分析《せいしんぶんせき》」は，フロイトによってはじめられました。

選択《せんたく》は無意識《むいしき》によって決《き》まる

ある男性《だんせい》が，赤《あか》と緑《みどり》のイスから，緑《みどり》のイスを無意識的《むいしきてき》に選《えら》ぶようすをえがきました。私《わたし》たちの心《こころ》の大部分《だいぶぶん》は無意識《むいしき》に支配《しはい》されているとフロイトは考《かんが》えました。

フロイトの研究《けんきゅう》は，科学《かがく》とみなせるのかどうかが論争《ろんそう》の的《まと》となりました。**しかし，目《め》に見《み》えない心《こころ》のしくみを解《と》き明《あ》かそうとしたという意味《いみ》で，フロイトは近年《きんねん》の認《にん》知《ち》科学《かがく》の先駆者《せんくしゃ》ともいえます。**

意識
無意識

哲学はこうして発展した　18世紀～20世紀ごろ

当《あ》たり前《まえ》を証明《しょうめい》することはむずかしい

仮説《かせつ》を反証《はんしょう》可能《かのう》であることこそが，科学《かがく》

黒《くろ》いガチョウをさがす

「すべてのガチョウは白《しろ》い」という仮説《かせつ》があるとします。仮説《かせつ》の正《ただ》しさを証明《しょうめい》することはできないものの，黒《くろ》いガチョウが1羽《わ》でもみつかれば，仮説《かせつ》がまちがいであることを証明《しょうめい》できます。

「すべてのガチョウは白《しろ》い」という仮説《かせつ》を検証《けんしょう》する場合《ばあい》，科学的《かがくてき》に正確《せいかく》なのはガチョウの色《いろ》を1羽《わ》ずつ調《しら》べていくことでしょう。**このように，個別《こべつ》の観察《かんさつ》を積《つ》み重《かさ》ねて仮説《かせつ》を検証《けんしょう》したり，法則《ほうそく》をみちびいたりする方法《ほうほう》を，「帰納法《きのうほう》」とよびます。**しかしヒューム（64〜65ページ）は，帰納法《きのうほう》の正当性《せいとうせい》は帰納法自《きのうほうじ》体《たい》をたよりにしており，循環《じゅんかん》になっていることを指摘《してき》しました。

オーストリア生《う》まれでイギリスに移住《いじゅう》したカール・ポパー（1902〜1994）は，帰納法《きのうほう》にたよらない科学《かがく》の方法《ほうほう》を考察《こうさつ》しました。

ポパーは，反例《はんれい》によって仮説《かせつ》がまちがいだと示《しめ》す（反証《はんしょう》する）プロセスには帰納法《きのうほう》を使《つか》わないことに気《き》づき，科学者《かがくしゃ》は反証《はんしょう》をこそ試《こころ》みるべきだと考《かんが》えました。「すべてのガチョウは白《しろ》い」が正《ただ》しいことは証明《しょうめい》できなくても，黒《くろ》いガチョウが1羽《わ》でもみつかれば，まちがいであることを証明《しょうめい》できるのです。

カール・ポパー
（1902〜1994）

オーストリア生《う》まれのイギリスの哲学者《てつがくしゃ》。1934年《ねん》に発表《はっぴょう》した最初《さいしょ》の著作《ちょさく》『探究《たんきゅう》の論理《ろんり》』において，「反《はん》証可能性《しょうかのうせい》」を重視《じゅうし》する科学的方法論《かがくてきほうほうろん》をとなえました。

カラスのことを調《しら》べないで，カラスがわかるのか？

「仮説演繹法《かせつえんえきほう》」には根本的《こんぽんてき》な問題《もんだい》が隠《かく》されている

仮《か》説《せつ》は，どのようなときに，証《しょう》拠《こ》によって支持《しじ》されるのでしょうか。仮説《かせつ》の確《たし》からしさについては，次《つぎ》の二つの関係《かんけい》がなりたつと考《かんが》えられています。

○第一《だいいち》に「XはすべてYである」という仮説《かせつ》は，「XかつY」という事例《じれい》（肯定例《こうていれい》）によって確《たし》からしくなる。

○第二《だいに》に論理的《ろんりてき》に同値《どうち》（対偶《たいぐう》※）な命題《めいだい》は確《たし》からしさにおいても同値《どうち》である。

この一見《いっけん》もっともらしい二つの命題《めいだい》を組《く》み合《あ》わせると奇妙《きみょう》な結果《けっか》になるというのが，これから紹介《しょうかい》するカラスのパラドックスです。

ドイツ生《う》まれのカール・ヘンペル（1905〜1997）は，「ヘンペルのカラス」を例《れい》にあげて，「仮説演《かせつえん》繹法《えきほう》」が抱《かか》える根本的《こんぽんてき》な問題《もんだい》を提《てい》起《き》しました。仮説演繹法《かせつえんえきほう》とは，仮《か》説《せつ》から予測《よそく》を論理的《ろんりてき》にみちびきだし，その予測《よそく》が正《ただ》しいことを確認《かくにん》することで，仮説《かせつ》の確《たし》からしさを高《たか》めるという方法《ほうほう》です。仮説《かせつ》と予《よ》測《そく》が対偶《たいぐう》の関係《かんけい》にあるものが，ヘンペルのカラスです（右《みぎ》のイラスト）。カラス以外《いがい》の黒《くろ》くないものをすべて調《しら》べ，それらがすべてカラスでないことを証明《しょうめい》できれば，カラスを1羽《わ》も調《しら》べることなく「すべてのカラスは黒《くろ》い」と証明《しょうめい》できてしまうことになります。

ヘンペルのカラスに，奇妙《きみょう》な結《けつ》論《ろん》が出《で》てしまう理由《りゆう》については，いろいろな考《かんが》え方《かた》があります。

たとえば，「すべてのカラスは白《しろ》い」などの対抗仮説《たいこうかせつ》も同《おな》じ証拠《しょうこ》で確《たし》かめられてしまうので，部屋《へや》の中《なか》のものはほかの対抗仮説《たいこうかせつ》と比較《ひかく》したときに有利《ゆうり》な証拠《しょうこ》にはなっていない，という考《かんが》え方《かた》があります。

一方《いっぽう》，この世界《せかい》に黒《くろ》くないものが非常《ひじょう》に多《おお》いから奇妙《きみょう》に感《かん》じるのであって，黒《くろ》くないものが比較的《ひかくてき》少《すく》ない世界《せかい》を想像《そうぞう》すると，それほど奇妙《きみょう》な結論《けつろん》には感《かん》じないはずだ，という考《かんが》え方《かた》もあります。

ヘンペルのカラス（確証《かくしょう》のパラドックス）

すべてのカラスは黒い ＝ すべての黒くないものはカラスでない

↓ 合致例 ↓ 合致例

黒いカラス

赤いリンゴ

黄色いバナナ

合致例 ↑

すべてのカラスは白い ＝ すべての白くないものはカラスでない

↓ 合致例

白いカラス

ヘンペルのカラス

「すべてのカラスは黒《くろ》い」という仮説《かせつ》は,「すべての黒《くろ》くないものはカラスでない」という予測《よそく》と同《おな》じです。仮説《かせつ》の確《たし》からしさは,黒《くろ》くないカラス以外《いがい》のものを,発見《はっけん》すればするほど上昇《じょうしょう》します。つまり,たとえば部屋《へや》の中《なか》にあるものを次々《つぎつぎ》に見《み》るだけで,「すべてのカラスが黒《くろ》い」という仮説《かせつ》の確《たし》からしさは高《たか》くなります。同様《どうよう》に,白《しろ》くないカラス以外《いがい》のものを発見《はっけん》すればするほど,「すべてのカラスが白《しろ》い」という仮説《かせつ》の確《たし》からしさも高《たか》くなります。

※：たとえば「AならばB」に対して「BでないならばAでない」という関係のこと。このような対偶関係にあるものの真偽は論理的に必ず一致します。

科学《かがく》の対象《たいしょう》を どこまで広《ひろ》げるべきか

真偽《しんぎ》を確《たし》かめられることのみ科学《かがく》の対象《たいしょう》にしたウィーン学団《がくだん》

「科《か》学《がく》の目的《もくてき》は，目《め》に見《み》えない世界《せかい》の構造《こうぞう》を明《あき》らかにすること」。**こうした科学《かがく》への考《かんが》え方《かた》は，現代《げんだい》の「科学的実在論《かがくてきじつざいろん》」へとつながりました。**科学的実在論《かがくてきじつざいろん》とは，「電子《でんし》や光子《こうし》といった目《め》に見《み》えないものは，おおむね現在《げんざい》の科学理論《かがくりろん》どおりに存在《そんざい》している」という考《かんが》え方《かた》です。19世紀後半《せいきこうはん》，科学的実在論《かがくてきじつざいろん》の代表的《だいひょうてき》な研究者《けんきゅうしゃ》だったのが，オーストリアのルートヴィヒ・ボルツマン（1844～1906）です。

ボルツマンは，グラーツ大学《だいがく》やウィーン大学《だいがく》で研究《けんきゅう》を行《おこな》い，熱現象《ねつげんしょう》を分子《ぶんし》の運動《うんどう》で説明《せつめい》するモデルを発展《はってん》させて，統計力学《とうけいりきがく》の基礎《きそ》をつくりあげました。

当時《とうじ》，物質《ぶっしつ》が極小《きょくしょう》の原子《げんし》でできているという「原子論《げんしろん》」は，単《たん》なる仮説《かせつ》とされていました。**ボルツマンは，原子論《げんしろん》の正《ただ》しさを主張《しゅちょう》したために，反対《はんたい》するマッハの支持者《しじしゃ》からきびしく批判《ひはん》されました。**

20世紀初頭《せいきしょとう》，ウィーン大学《だいがく》を活動《かつどう》の中心《ちゅうしん》とする学者《がくしゃ》のグループが，科学《かがく》について哲学《てつがく》の観点《かんてん》から考《かんが》える「科学哲学《かがくてつがく》」という分野《ぶんや》を発展《はってん》させました。**グループは，1929年《ねん》の国際会議《こくさいかいぎ》で「ウィーン学団《がくだん》」の設立《せつりつ》を宣言《せんげん》し，実験《じっけん》や観察《かんさつ》で真偽《しんぎ》を確《たし》かめられることのみを科学《かがく》の対象《たいしょう》とするとしました。**

さらにウィーン学団《がくだん》は，論理的《ろんりてき》な分析方法《ぶんせきほうほう》を取《と》り入《い》れました。これは，オーストリアのルートヴィヒ・ウィトゲンシュタイン（1889～1951）が，その著書《ちょしょ》で示《しめ》した考《かんが》え方《かた》です。ウィトゲンシュタインは，科学的《かがくてき》な文《ぶん》は二《ふた》つあるとしました。一《ひと》つは実証可能《じっしょうかのう》な事実《じじつ》についてのべた文《ぶん》，もう一《ひと》つはそうした文《ぶん》を論理記号《ろんりきごう》で結合《けつごう》してつくる文《ぶん》です。

ウィーン学団《がくだん》は，論理的《ろんりてき》な分析《ぶんせき》方法《ほうほう》によって，科学《かがく》についての方法論《ほうほうろん》を，もう一度《いちど》再構築《さいこうちく》しようと考《かんが》えたのです。

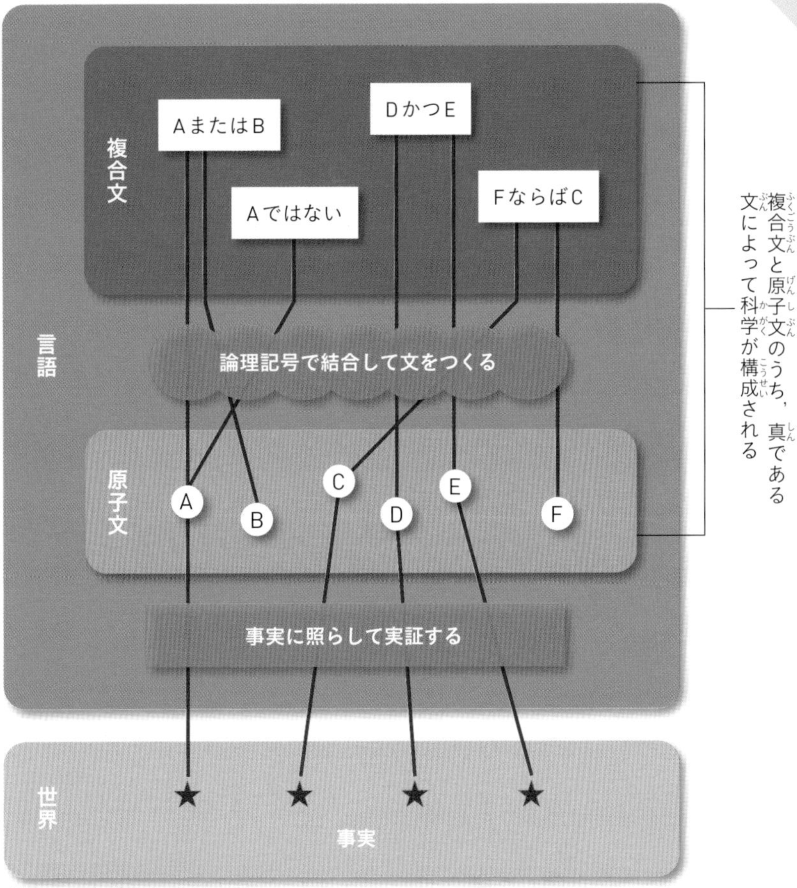

二《ふた》つの科学的《かがくてき》な文《ぶん》

ウィトゲンシュタインの考《かんが》えた，二《ふた》つの科学的《かがくてき》な文《ぶん》をえがきました。イラストの原子文《げんしぶん》が，「実証《じっしょう》可能《かのう》な事実《じじつ》についてのべた文《ぶん》」で，A～Fの記号《きごう》であらわしています。イラストの複合文《ふくごうぶん》が，「論理記号《ろんりきごう》で結合《けつごう》してつくる文《ぶん》」です。「または」「ではない」「かつ」「ならば」が，論理記号《ろんりきごう》にあたります。

新進気鋭《しんしんきえい》の研究者《けんきゅうしゃ》たちが設立《せつりつ》したウィーン学団《がくだん》

第一線《だいいっせん》で活躍《かつやく》していた新進気鋭《しんしんきえい》の研究者《けんきゅうしゃ》が多数集《たすうあつ》まり，1929年《ねん》にプラハで科学哲学《かがくてつがく》の国際会議《こくさいかいぎ》を開《ひら》き，「ウィーン学団《がくだん》」の設立《せつりつ》を宣言《せんげん》しました。

写真《しゃしん》はウィーン大学《だいがく》。

ニーチェが語《かた》る『神《かみ》は死《し》んだ』の意味《いみ》するもの

善悪《ぜんあく》の根源《こんげん》を新《あら》たな価値観《かちかん》で説《と》く

ライン川のほとりにあるバーゼル大学

プロイセン王国《おうこく》（現《げん》・ドイツ）で生《う》まれたニーチェは，24歳《さい》のときにスイスのバーゼル大学《だいがく》の古典文献学《こてんぶんけんがく》の教授《きょうじゅ》に就任《しゅうにん》します。

科《か》学《がく》が発展《はってん》した近世《きんせい》・近代《きんだい》。実《じっ》体《たい》が存在《そんざい》せず，観察《かんさつ》や実験《じっけん》ができない形而上学《けいじじょうがく》※的《てき》な問題《もんだい》は，科《か》学哲学《がくてつがく》の研究対象《けんきゅうたいしょう》から外《はず》されていきました。一方《いっぽう》で，社会《しゃかい》が科学技術《かがくぎじゅつ》によって発展《はってん》するにしたがい，これまでの価値観《かちかん》そのものにも疑問《ぎもん》がもたれるようになります。

フリードリヒ・ニーチェ（1844～1900）は，弱者《じゃくしゃ》の強者《きょうしゃ》に対《たい》する妬《ねた》みや怨念《おんねん》（ルサンチマン）こそが，善悪《ぜんあく》という価値《かち》の起源《きげん》だと考《かんが》えました。**そして，本来《ほんらい》の価値判断《かちはんだん》は，社会《しゃかい》に存在《そんざい》するさまざまな力関係《ちからかんけい》の優劣《ゆうれつ》によって生《う》まれるもので，善悪《ぜんあく》の判断《はんだん》をくだす神《かみ》はそもそも必要《ひつよう》ない（神《かみ》は死《し》んだ）ととなえました。**このように，これまで信《しん》じられてきた価値《かち》観《かん》は欺瞞《ぎまん》にすぎないとする考《かんが》えを「ニヒリズム」といいます。

さらにニーチェは，「生《せい》」そのものが「力《ちから》（権力《けんりょく》）への意志《いし》」であると考《かんが》えました。生《せい》そのものは，本質的《ほんしつてき》に他者《たしゃ》や弱者《じゃくしゃ》を我《わ》がものにするように，侵害《しんがい》したり，圧迫《あっぱく》したり，搾取《さくしゅ》をしたりする存在《そんざい》だといいます。そして，こうした生《せい》の本質《ほんしつ》は，生《い》きているからこそ生《う》まれるのだと考《かんが》えたのです。

※：「神」や「魂」の存在を前提とした基本的世界の本質を研究する学問

フリードリヒ・ニーチェ
（1844～1900）

ネコの生《せい》死《し》は，いつ確《かく》定《てい》するのか？

「シュレーディンガーのネコ」が示《しめ》す量《りょう》子《し》論《ろん》の哲学《てつがく》

ネコの生死に矛盾がおきる？

「シュレーディンガーのネコ」を現代風《げんだいふう》にアレンジした「ウィグナーの友人《ゆうじん》」とよばれる量子論《りょうしろん》の思考実験《しこうじっけん》のイメージをえがきました。友人《ゆうじん》にネコの生死《せいし》の確認《かくにん》を頼《たの》んだ場合《ばあい》，友人《ゆうじん》と自分《じぶん》で，ネコの生死《せいし》が確定《かくてい》する瞬間《しゅんかん》はずれてしまうのでしょうか？

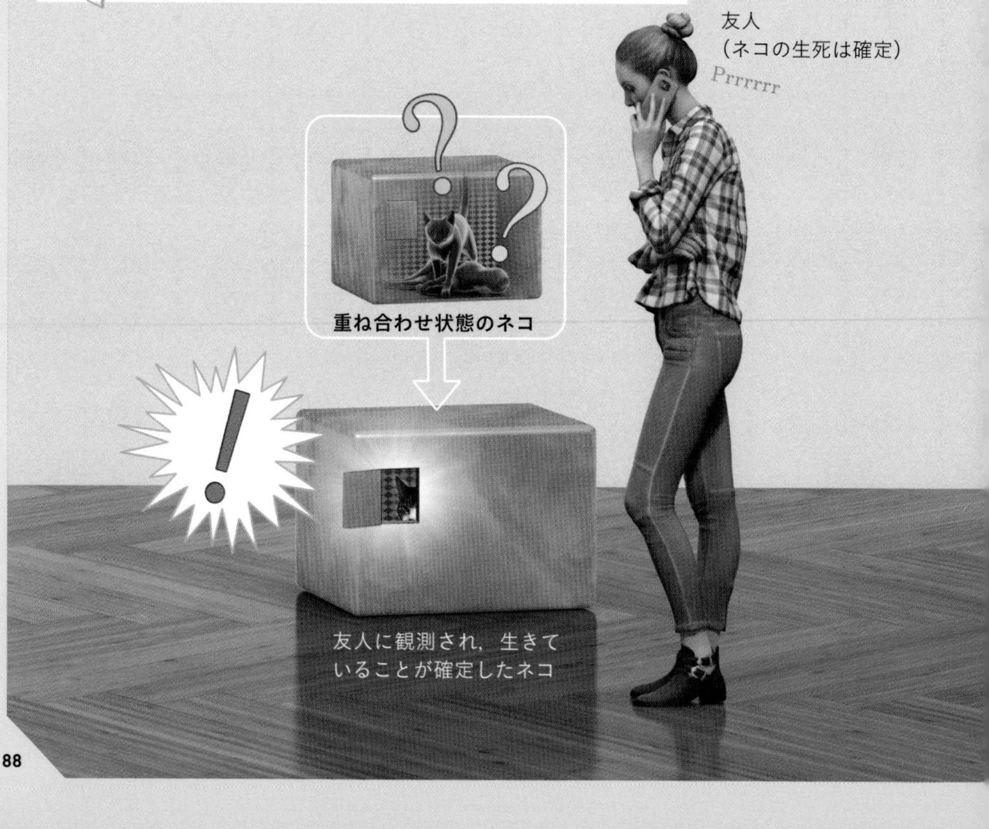

「シュレーディンガーのネコ」とよばれる有名《ゆうめい》な思考実験《しこうじっけん》があります。放射性物質《ほうしゃせいぶっしつ》が崩壊《ほうかい》をおこして放射線《ほうしゃせん》を出《だ》すと，それに反応《はんのう》して毒《どく》ガスが放出《ほうしゅつ》される箱《はこ》があり，箱《はこ》の中《なか》にはネコがいます。ミクロな世界《せかい》の現象《げんしょう》を説明《せつめい》する量子力学《りょうしりきがく》によれば，放射性物質《ほうしゃせいぶっしつ》の崩壊《ほうかい》がいつおきるかは純粋《じゅんすい》に確率《かくりつ》の問題《もんだい》です。そして，量子力学《りょうしりきがく》の標準的《ひょうじゅんてき》な解釈《かいしゃく》によると，観測《かんそく》されるまで，放射性物質《ほうしゃせいぶっしつ》は崩壊《ほうかい》していない状態《じょうたい》と崩壊《ほうかい》した状態《じょうたい》が重《かさ》ね合《あ》わさった状態《じょうたい》にあります。

人間《にんげん》が箱《はこ》をのぞくまで，ネコは「生《い》きている状態《じょうたい》と死《し》んでいる状態《じょうたい》が重《かさ》ね合《あ》わさった」状態《じょうたい》にあることになります。**思考実験《しこうじっけん》を提案《ていあん》したオーストリアのエルヴィン・シュレーディンガー（1887～1961）は，ネコの生死《せいし》が確定《かくてい》していないなどという奇妙《きみょう》な結論《けつろん》をみちびいてしまう量子《りょうし》論《ろん》の解釈《かいしゃく》の問題点《もんだいてん》を指摘《してき》しました。**この問題《もんだい》は，哲学《てつがく》の問題《もんだい》としても議《ぎ》論《ろん》されています。

友人からの報告を待つ自分
（ネコの生死は未確定）

注：友人にネコの生死の確認を頼んだ場合，自分からすると，友人も「生きていることを確認した友人」と「死んでいることを確認した友人」が重ね合わさった状態にあることになります。

Column

コーヒーブレーク

枝《えだ》分《わ》かれした別《べつ》の世界《せかい》が存在《そんざい》する？

前《ぜん》ページの思考実験《しこうじっけん》は，量《りょう》子論《しろん》では，状態《じょうたい》を確定《かくてい》させる「観測《かんそく》」とは何《なに》を指《さ》すのか，という問題《もんだい》をきわだたせました。このような，量子論《りょうしろん》をどう解釈《かいしゃく》すべきかという問題《もんだい》は，「解釈《かいしゃく》問題《もんだい》」とよばれています。

量子論《りょうしろん》の奇妙《きみょう》さを解決《かいけつ》するために，「観測《かんそく》した瞬間《しゅんかん》に状態《じょうたい》が

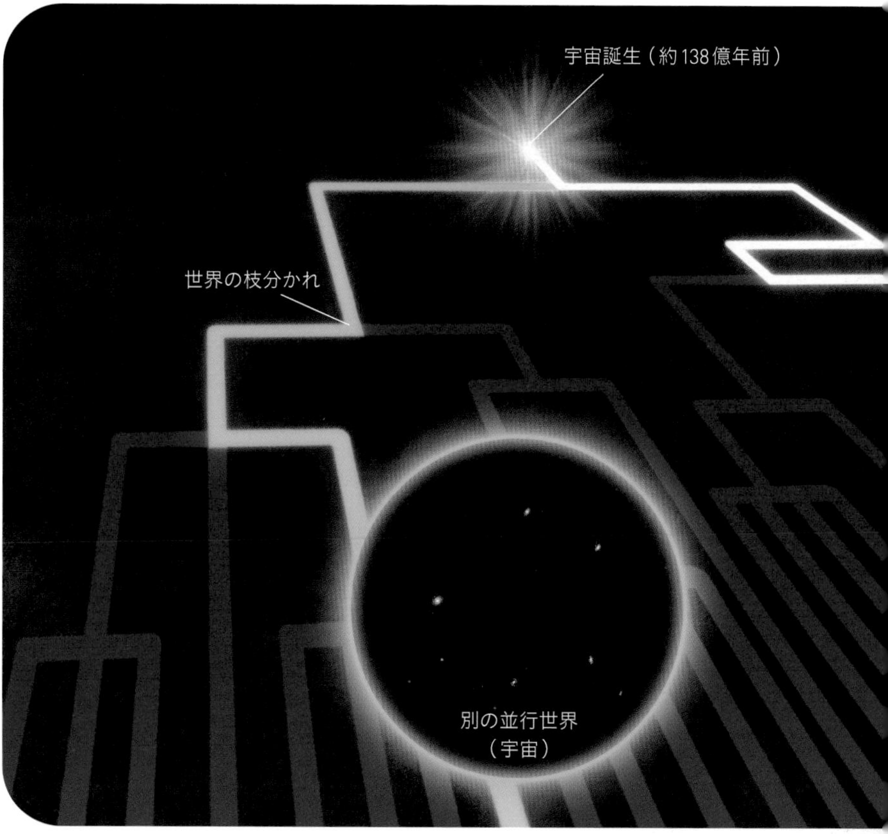

確定《かくてい》するのではなく，観測者《かんそくしゃ》も含《ふく》めた世界《せかい》が枝分《えだわ》かれする」と考《かんが》える不思議《ふしぎ》な「多世界解釈《たせかいかいしゃく》」も提案《ていあん》されています。

多世界解釈《たせかいかいしゃく》では，枝分《えだわ》かれしたあとの世界《せかい》は，消滅《しょうめつ》することなく存続《そんぞく》すると考《かんが》えます。つまり，宇《う》宙誕生《ちゅうたんじょう》から138億年《おくねん》の間《あいだ》に枝分《えだわ》かれした無数《むすう》の世界《せかい》が，今《いま》も同時並《どうじへい》行《こう》で存在《そんざい》していることになります。

世界《せかい》が枝分《えだわ》かれする際《さい》には，世《せ》界《かい》のあらゆるものがいっしょに枝《えだ》分《わ》かれします。そのためあなた自《じ》身《しん》も，複数《ふくすう》の世界《せかい》に枝分《えだわ》かれして存在《そんざい》することになります。今《いま》あなたは本《ほん》を読《よ》んでいますが，別《べつ》の世《せ》界《かい》（並行世界《へいこうせかい》）のあなたは，散歩《さんぽ》をしているかもしれないのです。

無数《むすう》のことなる宇宙《うちゅう》が存在《そんざい》する

多世界解釈《たせかいかいしゃく》によると，宇宙誕生直後《うちゅうたんじょうちょくご》から世界《せかい》は枝分《えだわ》かれをはじめ，現在《げんざい》に至《いた》っていると考《かんが》えられます。枝分《えだわ》かれしたあとの世界《せかい》は，独《どく》立《りつ》した歴史《れきし》を歩《あゆ》みます。そのため，われわれの世界《せかい》とことなる別《べつ》の世界《せかい》（宇宙《うちゅう》）は，まったくことなる姿《すがた》をしている可能性《かのうせい》があります。

哲学はこうして発展した　18世紀～20世紀ごろ

科学《かがく》の大転換《だいてんかん》「パラダイム・シフト」

科学《かがく》の歴史《れきし》は「断続的《だんぞくてき》な転換《てんかん》」でつくられた

20世紀中《せいきなか》ごろまで，科学《かがく》の歴史《れきし》は「連続的《れんぞくてき》な進歩《しんぽ》」だと考《かんが》えられていました。しかし，アメリカのトーマス・クーン（1922～1996）は，この考《かんが》え方《かた》に異《い》をとなえます。天動説《てんどうせつ》から地動説《ちどうせつ》，ニュートン力学《りきがく》から相対性理論《そうたいせいりろん》への転換《てんかん》がみられたように，科学《かがく》の歴史《れきし》は「断続的《だんぞくてき》な転換《てんかん》」であると考《かんが》えたのです。**クーンはこの考《かんが》えを「パラダイム※・シフト」とよび，パズルにたとえて説明《せつめい》しました。**

たとえば，ニュートン力学《りきがく》が構築《こうちく》された17世紀以降《せいきいこう》，科学者《かがくしゃ》たちはニュートン力学《りきがく》というルール（理論《りろん》）にしたがってパズルを埋《う》めました。やがて，それまでのルールではパズルが解《と》けなくなり，相対性理論《そうたいせいりろん》という革命的《かくめいてき》な新《しん》ルール（新理論《しんりろん》）が誕生《たんじょう》します。科学者《かがくしゃ》たちは，今度《こんど》は相対性理論《そうたいせいりろん》のルールにしたがってパズルを埋《う》めました。**このような「科学《かがく》のルールの劇的《げきてき》な転換《てんかん》」こそが，パラダイム・シフトなのです。**

※：パラダイムという言葉は，現在では「ものの見方」という意味で使われます。しかしクーンがいうパラダイムは，「科学者に問題解決の手段をあたえる理論や，その理論が生まれる背景にあった問題，そして問題の解き方を示す例題など」を意味しています。

ニュートンのルールでは解《と》けないパズル

クーンがとなえたパラダイム・シフトの概念《がいねん》を，ニュートン力学《りきがく》のルールにしたがって解《と》くジグソーパズルとしてえがきました。それまでのルールでパズルが解《と》けなくなったとき，新《あら》たなルール（新理《しんり》論《ろん》）が生《う》まれ，パラダイム・シフトがおきます。

4

これからの時代《じだい》に必要《ひつよう》な現代哲学《げんだいてつがく》

科学《かがく》と倫理《りんり》　デジタル社会《しゃかい》

哲学《てつがく》で考《かんが》えられてきたテーマの一《ひと》つに，善悪《ぜんあく》や価値《かち》の判断《はんだん》をする「倫理学《りんりがく》」があります。科学技術《かがくぎじゅつ》の発展《はってん》した現代《げんだい》では，「倫理《りんり》」はたびたび議論《ぎろん》の対象《たいしょう》となり，明確《めいかく》な答《こた》えが出《だ》されないまま新《あら》たな技術《ぎじゅつ》が開発《かいはつ》されています。ここでは，科学《かがく》の進歩《しんぽ》にともなって生《しょう》じた，さまざまな現代哲学《げんだいてつがく》を考《かんが》えていきましょう。

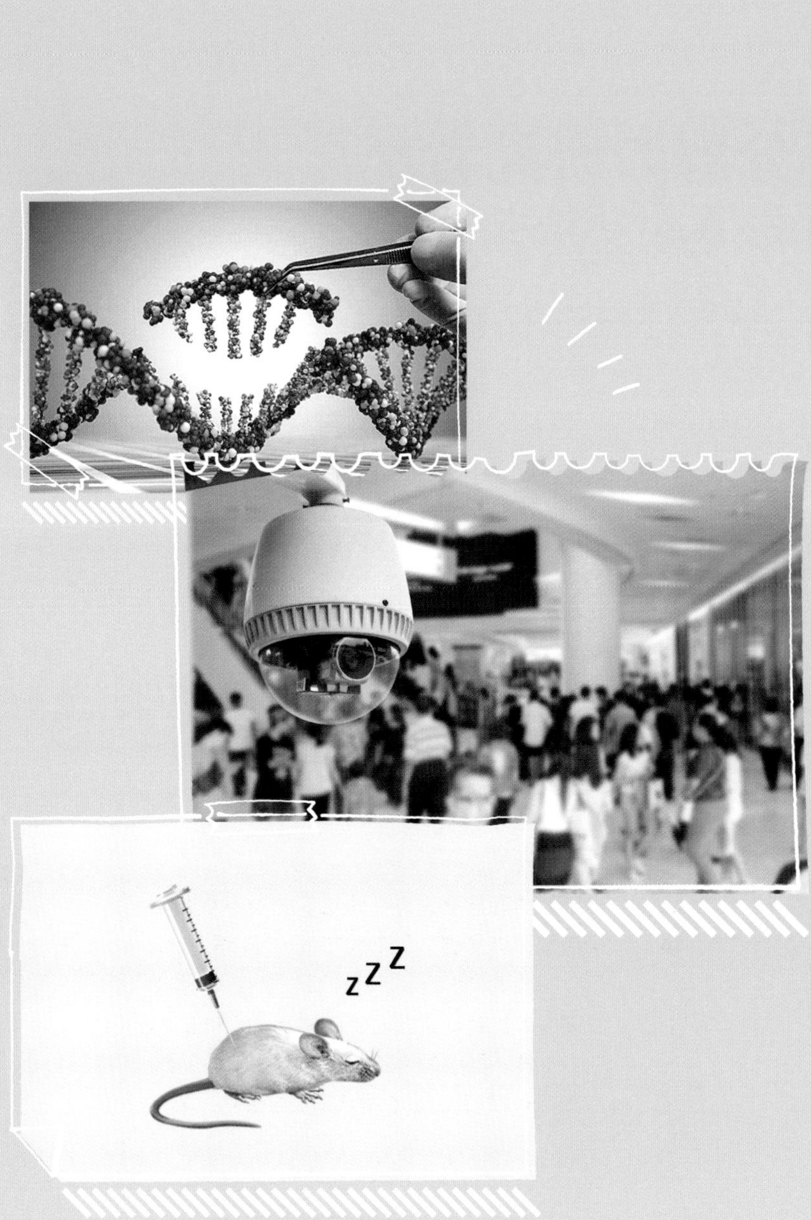
zZZ

各分野《かくぶんや》の研究者《けんきゅうしゃ》が哲学《てつがく》も発展《はってん》させた

科学《かがく》の各分野《かくぶんや》の個別性《こべつせい》を重視《じゅうし》する

個別科学《こべつかがく》の哲学《てつがく》

個別科学《こべつかがく》の哲学《てつがく》は，科学《かがく》の各分野《かくぶんや》の個別性《こべつせい》を重視《じゅうし》して，分野《ぶんや》ごとのテーマをあつかいます。たとえば，生物学《せいぶつがく》の分野《ぶんや》では，「生物《せいぶつ》の分類《ぶんるい》はどうあるべきか」が議論《ぎろん》されています。中《なか》でも，「種《しゅ》をどう定義《ていぎ》するべきか」について議論《ぎろん》が進《すす》んでいます。また，「人類《じんるい》はいかにして進化《しんか》してきたのか」という議論《ぎろん》も，哲学者《てつがくしゃ》が多《おお》く参入《さんにゅう》しているテーマです。

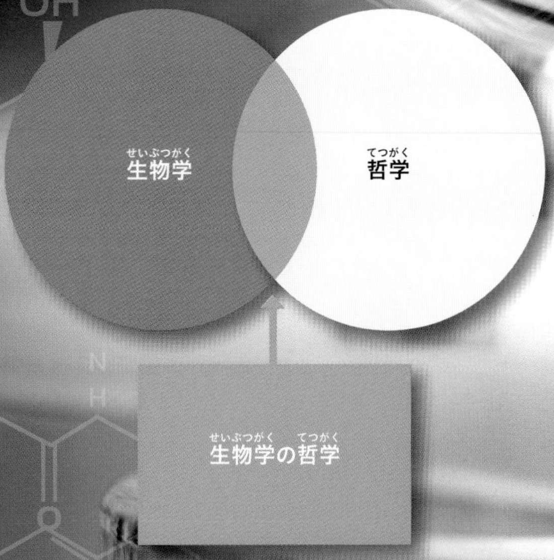

科《か》学哲学《がくてつがく》は，大《おお》きく二《ふた》つに分《わ》けることができます。「一般科学《いっぱんかがく》哲学《てつがく》」と「個別科学《こべつかがく》の哲学《てつがく》」です。一《いっ》般《ぱん》科学《かがく》哲学《てつがく》は，科学《かがく》をある程度《ていど》統一《とういつ》性《せい》のあるものとみなして，科学全体《かがくぜんたい》にあてはまるような問題《もんだい》を取《と》りあげます。一方《いっぽう》，個別科学《こべつかがく》の哲学《てつがく》は，科《か》学《がく》の各分野《かくぶんや》の個別性《こべつせい》を重視《じゅうし》して，分《ぶん》野《や》ごとのテーマをあつかいます。たとえば，ウィーン学団《がくだん》のモーリッツシュリック（1882～1936）は物理学《ぶつりがく》者《しゃ》でもあり，時空《じくう》に関《かん》する物理学《ぶつりがく》の哲学《てつがく》の著書《ちょしょ》も出版《しゅっぱん》しています。**このように，科学者《かがくしゃ》でもあり哲学者《てつがくしゃ》でもある研究者《けんきゅうしゃ》が，自分《じぶん》の専門領域《せんもんりょういき》の個《こ》別科学《べつかがく》の哲学《てつがく》を発展《はってん》させました。**

科学《かがく》の各分野《かくぶんや》の研究成果《けんきゅうせいか》には，哲《てつ》学的《がくてき》な興味深《きょうみぶか》い内容《ないよう》が含《ふく》まれていることが少《すく》なくありません。たとえば，量子力学《りょうしりきがく》の分野《ぶんや》では，量子《りょうし》の奇妙《きみょう》なふるまいを説明《せつめい》するさまざまな解《かい》釈《しゃく》が提案《ていあん》され，活発《かっぱつ》に議論《ぎろん》されています。

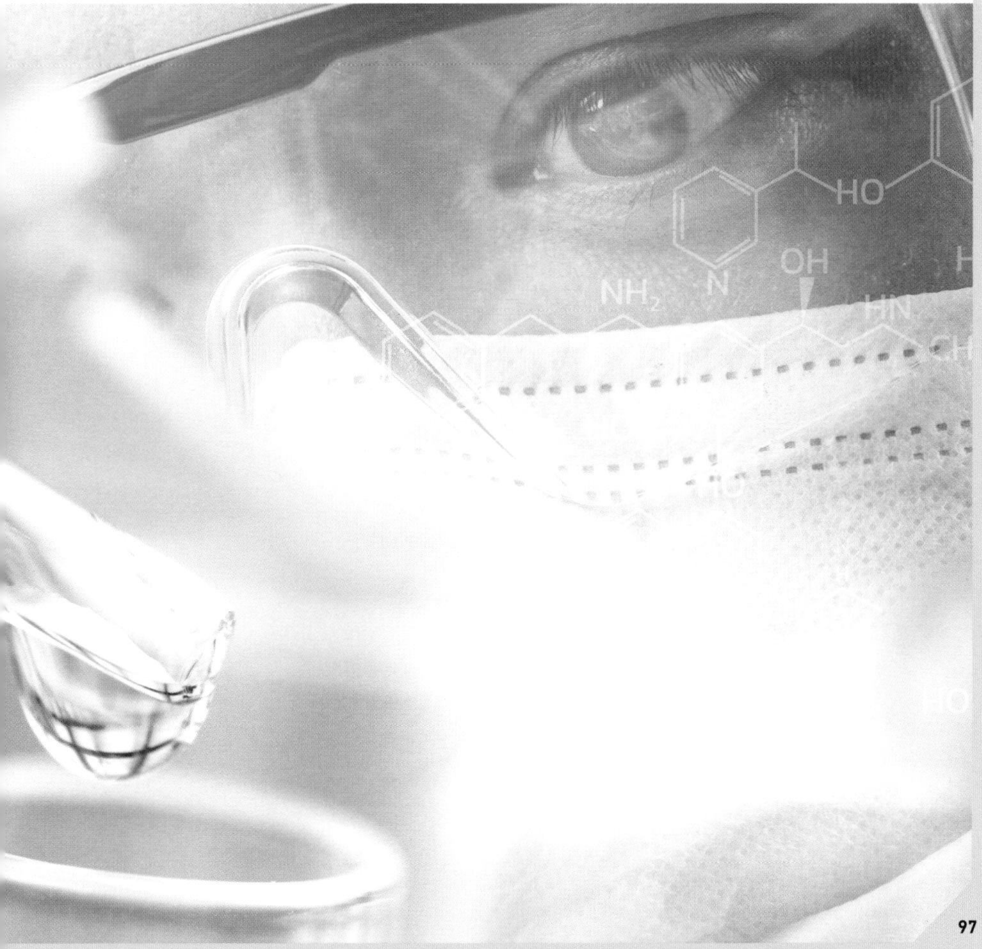

ゲノム編集《へんしゅう》ベビーは許《ゆる》されるか

医療技術《いりょうぎじゅつ》で人体《じんたい》を改変《かいへん》・増強《ぞうきょう》することの是非《ぜひ》を考《かんが》える

「頭《あたま》をよくしたい」「きれいになりたい」「優秀《ゆうしゅう》な子《こ》がほしい」といった願望《がんぼう》をかなえるために，医療技術《いりょうぎじゅつ》を使《つか》うことは許《ゆる》されるのでしょうか。

中国《ちゅうごく》の研究者《けんきゅうしゃ》賀建奎《フー・ジェンクイ》は，ゲノム編集《へんしゅう》という技術《ぎじゅつ》を使《つか》ってヒトの受精卵《じゅせいらん》の遺伝子《いでんし》を改変《かいへん》し，エイズウイルスに感染《かんせん》しにくい赤《あか》ちゃんを誕生《たんじょう》させたと2018年《ねん》に発表《はっぴょう》しました。この事実《じじつ》は，世界中《せかいじゅう》で物議《ぶつぎ》をかもしました。日本生命倫理学会《にほんせいめいりんりがっかい》は，この事例《じれい》に際《さい》して，現時点《げんじてん》ではヒトを対象《たいしょう》とするゲノム編集《へんしゅう》は禁止《きんし》すべきとの声明《せいめい》を出《だ》しています。

この問題《もんだい》を考《かんが》えるにあたっては，三《みっ》つの代表的《だいひょうてき》な倫理規範《りんりきはん》（どうするべきかを決《き》める基準《きじゅん》）があります。倫理規範《りんりきはん》①「生殖《せいしょく》において，親《おや》の作為的《さくいてき》な（みずからの意思《いし》による）選択《せんたく》や操作《そうさ》をいっさい行《おこな》ってはならない（生殖《せいしょく》における不作為《ふさくい》原則《げんそく》）」，倫理規範《りんりきはん》②「子供《こども》の自由《じゆう》や権利《けんり》が侵害《しんがい》されないかぎり，親《おや》の自律的《じりつてき》な判断《はんだん》が最大限優先《さいだいげんゆうせん》されるべきである（生殖《せいしょく》における自律尊重原則《じりつそんちょうげんそく》）」，倫理規範《りんりきはん》③「親《おや》となるカップルは可能《かのう》なかぎり最《もっと》もよい子供《こども》を産《う》むべきである（生殖《せいしょく》における善行原則《ぜんこうげんそく》）」，という基準《きじゅん》です。

ただし，どの倫理規範《りんりきはん》であっても何《なに》かしらの批判《ひはん》の余地《よち》があります（右上《みぎうえ》の表《ひょう》）。みなさんはどのように考《かんが》えるでしょうか。

治療《ちりょう》とエンハンスメントは線引《せんび》きできるのか？

右《みぎ》の医療技術《いりょうぎじゅつ》は，治療《ちりょう》でしょうか，それとも治療《ちりょう》をこえた医療技術《いりょうぎじゅつ》の利用《りよう》（エンハンスメント）でしょうか。仮《かり》にエンハンスメントだとしたら，それは許《ゆる》されるでしょうか。許《ゆる》されるのであれば，どのようなときでしょうか。

	倫理規範《りんりきはん》①	倫理規範《りんりきはん》②	倫理規範《りんりきはん》③
規範《きはん》の名称《めいしょう》	生殖《せいしょく》における不作為原則《ふさくいげんそく》	生殖《せいしょく》における自律尊重原則《じりつそんちょうげんそく》	生殖《せいしょく》における善行原則《ぜんこうげんそく》
規範《きはん》の内容《ないよう》	親《おや》は，作為的《さくいてき》な（みずからの意思《いし》による）選《せん》択《たく》や操作《そうさ》を行《おこな》ってはならない。	子供《こども》の自由《じゆう》や権利《けんり》が侵《しん》害《がい》されないかぎり，親《おや》の自律的《じりつてき》な判断《はんだん》が最大限《さいだいげん》優先《ゆうせん》されるべきである。	親《おや》は，可能《かのう》なかぎり最《もっと》もよい子供《こども》を産《う》むべきである。
規範《きはん》が受《う》ける批判《ひはん》の例《れい》	ある特徴《とくちょう》をもつ子供《こども》を得《え》るために，その特徴《とくちょう》をもつパートナーを選《せん》択《たく》することも許《ゆる》されないのではないか。たとえば，運動能力《うんどうのうりょく》の高《たか》い子供《こども》を得《え》るために，運《うん》動能力《どうのうりょく》の高《たか》いパートナーを選択《せんたく》することは倫《りん》理的《りてき》に問題《もんだい》があるだろうか。	「着床前診断《ちゃくしょうぜんしんだん》」という技術《ぎじゅつ》で，親《おや》が積極的《せっきょくてき》に遺伝性疾患《いでんせいしっかん》をもつ受精《じゅせい》卵《らん》を選択《せんたく》することも許《ゆる》されるのか。もし許《ゆる》されないとするならば，それはよりよい子供《こども》を得《え》るべきだと主張《しゅちょう》する倫理規範《りんりきはん》③を指示《しじ》するのと同《おな》じではないか。	最《もっと》もよい子供《こども》とは何《なに》か，それをどのように決《き》めるのかが不明確《ふめいかく》。また，最《もっと》もよい子供《こども》をもたなければならないということが，親《おや》にとって過剰《かじょう》な負担《ふたん》になる可能性《かのうせい》がある。よりすぐれた人間《にんげん》を選択的《せんたくてき》に生《う》みだすという考《かんが》え方《かた》は，優生学《ゆうせいがく》の復活《ふっかつ》につながるおそれもある。

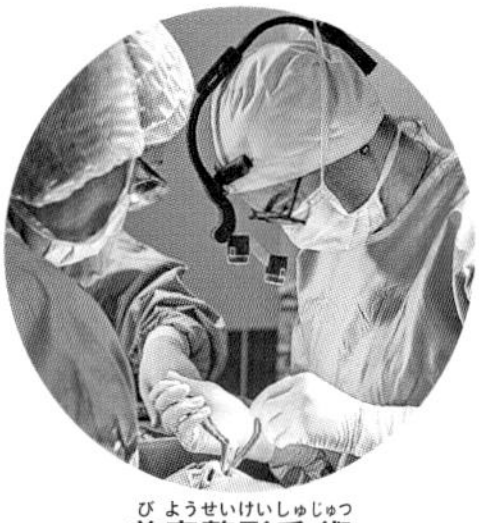
美容整形手術《びようせいけいしゅじゅつ》

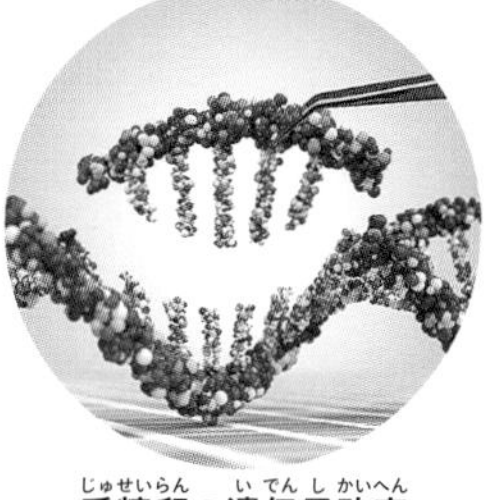
受精卵《じゅせいらん》の遺伝子改変《いでんしかいへん》

栄養《えいよう》ドリンクの飲用《いんよう》

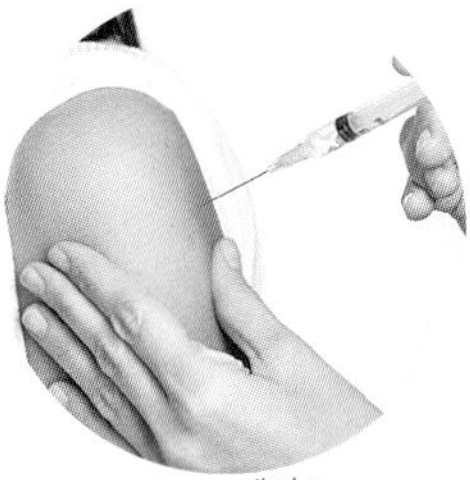
ワクチン接種《せっしゅ》

ドーピング

コンタクトレンズの装着《そうちゃく》

人工呼吸器《じんこうこきゅうき》の優先順位《ゆうせんじゅんい》はどう考《かんが》えるのがよい？

災害時《さいがいじ》に，かぎられた医療資源《いりょうしげん》を最大限活用《さいだいげんかつよう》するには

患者《かんじゃ》Aと患者《かんじゃ》Bが同時《どうじ》に病《びょう》院《いん》に運《はこ》ばれてきました。どちらも人工呼吸《じんこうこきゅう》が必要《ひつよう》ですが，この病《びょう》院《いん》にある人工呼吸器《じんこうこきゅうき》は一《ひと》つだけです。人工呼吸器《じんこうこきゅうき》をつけた場合《ばあい》の生《せい》存確率《ぞんかくりつ》は，患者《かんじゃ》Aが20%，患者《かんじゃ》Bは80%です。この場合《ばあい》，どちらの患《かん》者《じゃ》を優先《ゆうせん》させるべきでしょうか。

災害時《さいがいじ》などには，かぎられた医《い》療《りょう》資源《しげん》を最大限活用《さいだいげんかつよう》するために，患者《かんじゃ》に優先順位《ゆうせんじゅんい》をつけて治療《ちりょう》することがあります。これを「トリアージ」(フランス語《ご》で「選別《せんべつ》」を意味《いみ》するtriageが由来《ゆらい》）といい，日本《にほん》では右上《みぎうえ》の表《ひょう》に示《しめ》した基準《きじゅん》でトリアージを行《おこな》います。

トリアージの目的《もくてき》は「なるべく多《おお》くの命《いのち》を救《すく》う」ことです。冒頭《ぼうとう》の例《れい》では，より生存確率《せいぞんかくりつ》の高《たか》い患《かん》者《じゃ》Bを選《えら》ぶのが，結果的《けっかてき》に「なるべく多《おお》くの命《いのち》を救《すく》う」ことになると考《かんが》えられます。

では，患者《かんじゃ》Aに対《たい》して人工呼吸《じんこうこきゅう》器《き》を用《もち》いた治療《ちりょう》をしている最中《さいちゅう》に，患者《かんじゃ》Bが運《はこ》びこまれてきたとしたらどうでしょうか。一人《ひとり》でも多《おお》くの命《いのち》を救《すく》うという原則《げんそく》にしたがえば，生存確率《せいぞんかくりつ》の低《ひく》い患者《かんじゃ》Aから人《じん》工呼吸器《こうこきゅうき》を取《と》りはずし，生存確率《せいぞんかくりつ》の高《たか》い患者《かんじゃ》Bに人工呼吸器《じんこうこきゅうき》をつけることになります。しかし，生《せい》存確率《ぞんかくりつ》が低《ひく》いからといって，患者《かんじゃ》Aから人工呼吸器《じんこうこきゅうき》を取《と》りはずことは許《ゆる》されるのでしょうか。

トリアージにおける公平《こうへい》なルールについてぜひ一度《いちど》考《かんが》えてみてください。

人工呼吸器《じんこうこきゅうき》を優先《ゆうせん》するのはどちらの患者《かんじゃ》か？

患者《かんじゃ》Aと患者《かんじゃ》Bが同時《どうじ》に運《はこ》びこまれてきました。どちらも人工呼吸《じんこうこきゅう》が必要《ひつよう》ですが，人工呼吸器《じんこうこきゅうき》は一《ひと》つしかありません。患者《かんじゃ》Aと患者《かんじゃ》Bに人工呼吸器《じんこうこきゅうき》を装着《そうちゃく》したときの生存確率《せいぞんかくりつ》は，それぞれ20%と80%です。

災害《さいがい》の際《さい》に用《もち》いられるトリアージの基準《きじゅん》

分類《ぶんるい》	順位《じゅんい》	識別色《しきべつしょく》	症状《しょうじょう》など
最優先治療群《さいゆうせんちりょうぐん》	第《だい》1位《い》	赤《あか》	生命《せいめい》を救《すく》うため，ただちに処置《しょち》を必要《ひつよう》とするもの。窒息《ちっそく》，多量《たりょう》の出血《しゅっけつ》，ショックの危険《きけん》があるもの。
待機的治療群《たいきてきちりょうぐん》	第《だい》2位《い》	黄《き》	多少治療《たしょうちりょう》の時間《じかん》が遅《おく》れても，生命《せいめい》の危険《きけん》がないもの。または，脈拍《みゃくはく》，血圧《けつあつ》，呼吸《こきゅう》，体温《たいおん》などが安定《あんてい》しているもの。
保留群《ほりゅうぐん》	第《だい》3位《い》	緑《みどり》	上記以外《じょうきいがい》の軽傷《けいしょう》で，ほとんど専門医《せんもんい》の治療《ちりょう》を必要《ひつよう》としないもの。
無呼吸群《むこきゅうぐん》	第《だい》4位《い》	黒《くろ》	気道《きどう》を確保《かくほ》しても呼吸《こきゅう》がないもの。
死亡群《しぼうぐん》			すでに死亡《しぼう》しているもの，または明《あき》らかな即死状態《そくしじょうたい》にあるもの。心肺蘇生《しんぱいそせい》を施《ほどこ》しても蘇生《そせい》の可能性《かのうせい》のないもの。

東京都福祉保健局「トリアージハンドブック」(平成31年1月発行）を参考に作成。

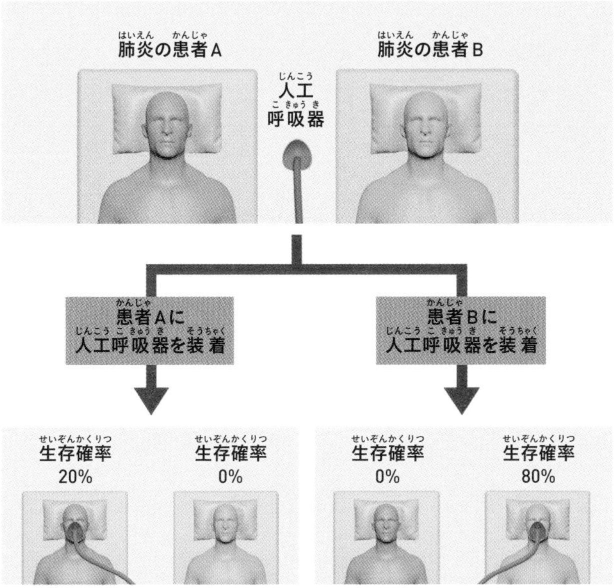

外出制限《がいしゅつせいげん》やワクチン接種《せっしゅ》は強制《きょうせい》してよいのか

感染予防《かんせんよぼう》と個人《こじん》の自由《じゆう》の問題《もんだい》に どう向《む》き合《あ》うべきか

自由《じゆう》の制限《せいげん》を正当化《せいとうか》するための三《みっ》つの根拠《こんきょ》

下《した》の図《ず》は，政府《せいふ》などが国民《こくみん》の自由《じゆう》を制限《せいげん》する際《さい》に主《おも》に用《もち》いる根拠《こんきょ》と，その根拠《こんきょ》を用《もち》いてうまく説明《せつめい》できる政策《せいさく》の例《れい》を示《しめ》しました。実際《じっさい》には，複数《ふくすう》の根拠《こんきょ》をもとにしている政策《せいさく》もあります。

他者危害原則《たしゃきがいげんそく》

他者《たしゃ》に危害《きがい》をあたえる行為《こうい》を防《ふせ》ぐために個人《こじん》の自由《じゆう》を制限《せいげん》する。

例《れい》：スマホのながら運転《うんてん》の禁止《きんし》

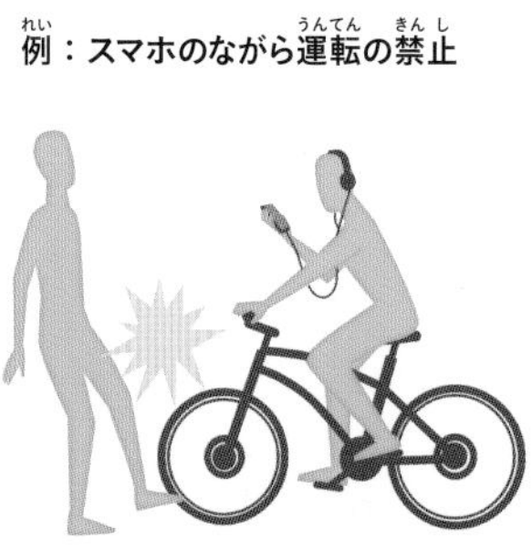

パターナリズム（温情主義《おんじょうしゅぎ》）

本人《ほんにん》に危害《きがい》がおよぶことを防《ふせ》ぐために個人《こじん》の自由《じゆう》を制限《せいげん》する。

例《れい》：シートベルト着用《ちゃくよう》の義務化《ぎむか》

全体《ぜんたい》の利益《りえき》をめざした介入《かいにゅう》

集団全体《しゅうだんぜんたい》の利益《りえき》のために個人《こじん》の自由《じゆう》を制限《せいげん》する。

例《れい》：虫歯予防《むしばよぼう》のためのフッ素《そ》入《い》り水道水《すいどうすい》

新《しん》型《がた》コロナウイルスの感染拡大《かんせんかくだい》を防止《ぼうし》するため，政府《せいふ》による緊急事態宣言《きんきゅうじたいせんげん》がたびたび出《だ》されました。強制力《きょうせいりょく》のある政策《せいさく》は個人《こじん》の自《じ》由《ゆう》を侵害《しんがい》します。感染予防《かんせんよぼう》と個人《こじん》の自由《じゆう》の折《お》り合《あ》いは，どうつけるべきでしょうか。

病気《びょうき》の予防《よぼう》や健康増進《けんこうぞうしん》を目的《もくてき》とした，公的機関《こうてききかん》や民間組織《みんかんそしき》による活動《かつどう》を「公衆衛生《こうしゅうえいせい》」といいます。感染予《かんせんよ》防《ぼう》のために“三密防止《さんみつぼうし》”をよびかけたり，マスクの着用《ちゃくよう》などを習慣化《しゅうかんか》させたりするのも公衆衛生《こうしゅうえいせい》の一環《いっかん》です。

公衆衛生《こうしゅうえいせい》による政策《せいさく》は，科学的《かがくてき》な知見《ちけん》が根拠《こんきょ》になります。しかし，いくら科学的根拠《かがくてきこんきょ》があっても，感染拡《かんせんかく》大《だい》を防《ふせ》ぐために国民《こくみん》の外出《がいしゅつ》をいっさい制限《せいげん》するのはむずかしいでしょう。**公衆衛生《こうしゅうえいせい》を実現《じつげん》させるには，科学的《かがくてき》な知見《ちけん》に加《くわ》えて，倫理的《りんりてき》な視点《してん》からみた「正当《せいとう》な根拠《こんきょ》」（左下《ひだりした》の図《ず》）が必《ひつ》要《よう》**なのです。

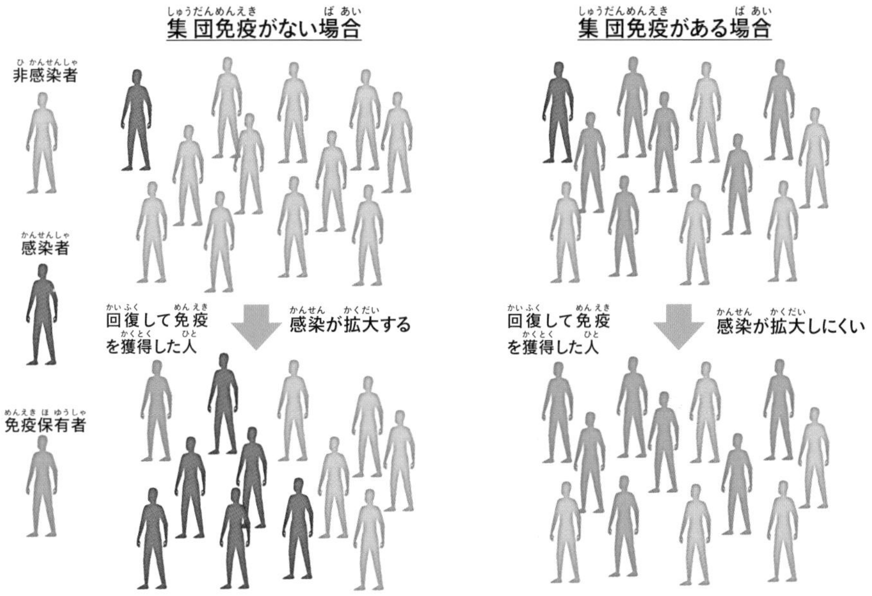

ある病気《びょうき》の免疫保有者《めんえきほゆうしゃ》が集団《しゅうだん》の中《なか》に十分《じゅうぶん》な割合《わりあい》で存在《そんざい》している状態《じょうたい》を「集団免疫《しゅうだんめんえき》」といいます。集団免疫《しゅうだんめんえき》がない場合《ばあい》，感染者《かんせんしゃ》のまわりの人《ひと》にウイルスは拡散《かくさん》していきます。一方《いっぽう》，集団免疫《しゅうだんめんえき》がある場合《ばあい》は，免疫保有者《めんえきほゆうしゃ》が非感染者《ひかんせんしゃ》（ワクチンを打《う》てない人《ひと》や抗体《こうたい》ができにくい人《ひと》を含《ふく》む）をウイルスから守《まも》る“壁《かべ》”のような存在《そんざい》になるため，ウイルスが拡散《かくさん》しにくくなります。

ワクチン接種《せっしゅ》も，公衆衛生《こうしゅうえいせい》の政策《せいさく》です。ワクチン接種《せっしゅ》を進《すす》めるには，「全体《ぜんたい》の利益《りえき》」を国《くに》と国民《こくみん》との間《あいだ》で共有《きょうゆう》することが重要《じゅうよう》なのです。

薬《くすり》の開発《かいはつ》のために動物実験《どうぶつじっけん》をしてもよいのか

人間《にんげん》の命《いのち》を救《すく》うための研究《けんきゅう》で動物《どうぶつ》を犠牲《ぎせい》にすることは許《ゆる》されるか？

動《どう》物実験《ぶつじっけん》によって医学《いがく》は飛躍的《ひやくてき》に発展《はってん》しました。しかし，人間《にんげん》の利益《りえき》のために動物《どうぶつ》を犠牲《ぎせい》にすることは許《ゆる》されるのでしょうか。

イギリスの動物学者《どうぶつがくしゃ》ウィリアム・ラッセル（1925～2006）と微生物学者《びせいぶつがくしゃ》レックス・バーチ（1926～1996）は，1959年《ねん》に「動物実験《どうぶつじっけん》の際《さい》に守《まも》るべき三《みっ》つのR」（右上《みぎうえ》の図《ず》）を提唱《ていしょう》しました。そのころから「動物《どうぶつ》の権利《けんり》」を主張《しゅちょう》した動物実験廃止《どうぶつじっけんはいし》の運動《うんどう》が各国《かっこく》で広《ひろ》まり，1980年代《ねんだい》には「三《みっ》つのR」を基本理念《きほんりねん》に，必要《ひつよう》のない動物実験《どうぶつじっけん》をやめ，行《おこな》う場合《ばあい》は苦痛《くつう》を感《かん》じさせないようにするといった「動物《どうぶつ》の福祉《ふくし》」が提唱《ていしょう》されます。

現在《げんざい》，EUでは化粧品開発時《けしょうひんかいはつじ》の動物実験《どうぶつじっけん》を禁止《きんし》し※，他国《たこく》が動物実験《どうぶつじっけん》を経《へ》て開発《かいはつ》した化粧品《けしょうひん》は輸入《ゆにゅう》できません。アメリカは2020年《ねん》に三《みっ》つの州《しゅう》で，動物実験《どうぶつじっけん》で開発《かいはつ》された化粧品《けしょうひん》の販売《はんばい》が禁止《きんし》されました。日本《にほん》では2005年《ねん》の「動物愛護法《どうぶつあいごほう》」改正《かいせい》で三《みっ》つのRの原則《げんそく》が明記《めいき》され，大手《おおて》化粧品《けしょうひん》メーカーは動物実験廃止《どうぶつじっけんはいし》の方向《ほうこう》で動《うご》いています。

動物実験《どうぶつじっけん》をめぐっては，「動物《どうぶつ》の権利派《けんりは》」と「動物《どうぶつ》の福祉派《ふくしは》」で意見《いけん》が対立《たいりつ》しています。前者《ぜんしゃ》は「動物実験《どうぶつじっけん》をすぐに廃止《はいし》するべき」と主張《しゅちょう》し，後者《こうしゃ》は「動物実験《どうぶつじっけん》は減《へ》らすべきだが，必要《ひつよう》だ」といいます。動物保護《どうぶつほご》の支持者《しじしゃ》どうしでも，考《かんが》え方《かた》に温度差《おんどさ》があるのです。

※：規制《きせい》の対象外《たいしょうがい》となる動物実験《どうぶつじっけん》には，薬《くすり》の開発《かいはつ》や，動物《どうぶつ》の行動《こうどう》などを調《しら》べるための科学実験《かがくじっけん》のうち，代替手段《だいたいしゅだん》がないものなどがあります。

ラッセルとバーチが提唱《ていしょう》した，動物実験《どうぶつじっけん》の際《さい》に守《まも》るべき三《みっ》つのR

ラッセルとバーチは，1959年《ねん》にしるした『人道的《じんどうてき》な実験技術《じっけんぎじゅつ》の原理《げんり》』という本《ほん》で，動物実験《どうぶつじっけん》を人道的《じんどうてき》に行《おこな》うために守《まも》るべき三《みっ》つのRを提唱《ていしょう》。これらが「動物《どうぶつ》の福祉《ふくし》」の考《かんが》え方《かた》の基本《きほん》になりました。

削減《さくげん》（Reduction）

不要《ふよう》な実験《じっけん》を減《へ》らす

例《れい》：1回《かい》の実験《じっけん》で使用《しよう》する動物《どうぶつ》の数《かず》を最小限《さいしょうげん》にするなど。

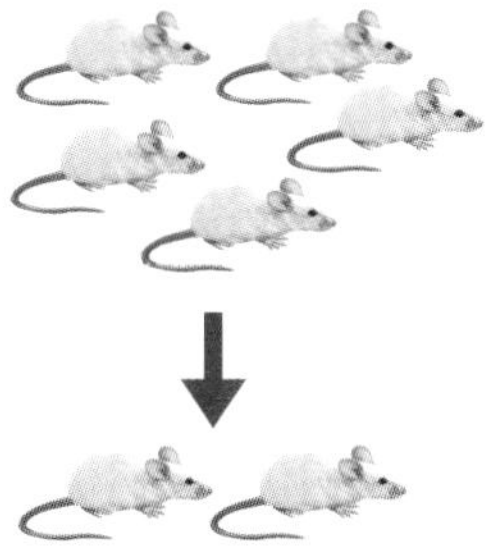

代替《だいたい》（Replacement）

動物《どうぶつ》を使《つか》わない実験手法《じっけんしゅほう》に置《お》きかえる

例《れい》：培養細胞《ばいようさいぼう》を使《つか》って実験《じっけん》する。コンピューターシミュレーションを使《つか》うなど。

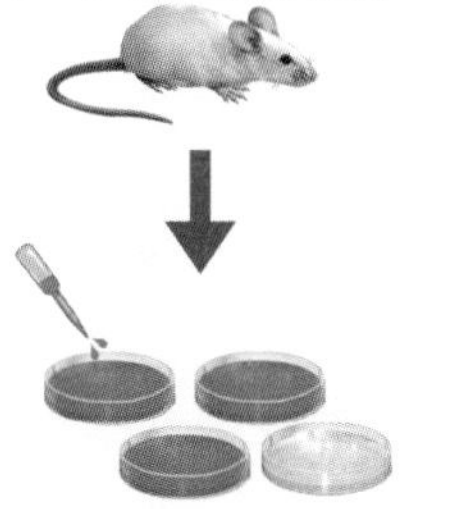

洗練《せんれん》（Refinement）

実験手法《じっけんしゅほう》を洗練《せんれん》させることで苦痛《くつう》を減《へ》らす

例《れい》：手術《しゅじゅつ》の際《さい》に麻酔《ますい》を使《つか》う。苦《く》痛《つう》が大《おお》きくなりすぎる前《まえ》に実験《じっけん》を終了《しゅうりょう》するなど。

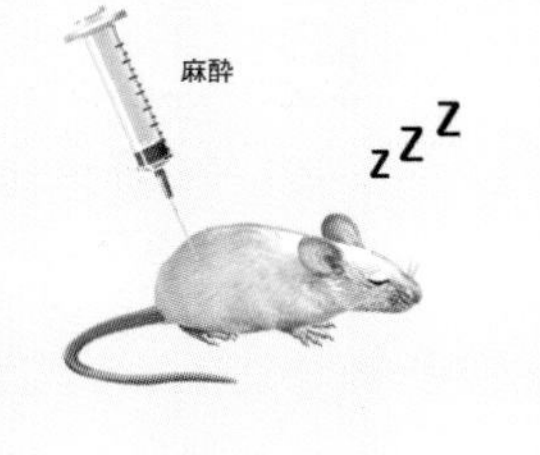

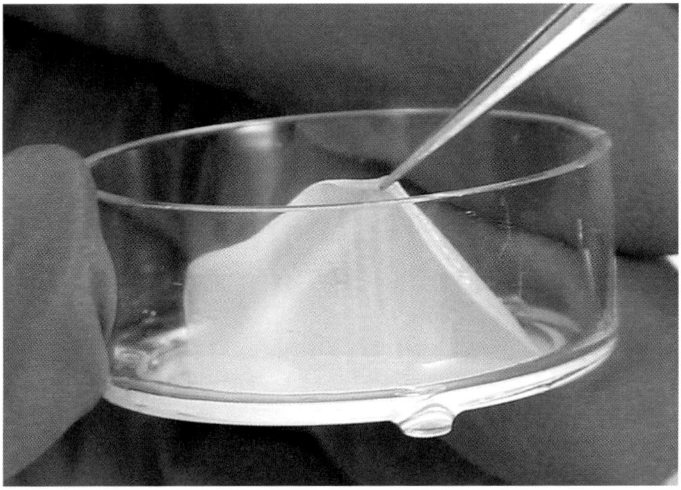

化粧品開発《けしょうひんかいはつ》において利用《りよう》が進《すす》む三次元培養皮膚《さんじげんばいようひふ》モデル

三次元培養皮膚《さんじげんばいようひふ》モデルの製品《せいひん》の一例《いちれい》（製品名《せいひんめい》はSkinEthic™RHE。写真《しゃしん》は株式会社《かぶしきがいしゃ》ニコダームリサーチ提供《ていきょう》）。ヒトの皮膚《ひふ》と同《おな》じ構造《こうぞう》をもち，化粧品開発《けしょうひんかいはつ》で行《おこな》われる動物実験《どうぶつじっけん》の代替法《だいたいほう》として用《もち》いることができます。

外来種《がいらいしゅ》を駆除《くじょ》することは正《ただ》しいといえるか

生態系《せいたいけい》のバランスがくずれる要因《よういん》は外来種《がいらいしゅ》だけではない

日《に》本《ほん》では2006年《ねん》に「外来生物法《がいらいせいぶつほう》」が施行《しこう》され，150種以上《しゅいじょう》もの「特定外来生物《とくていがいらいせいぶつ》」が駆除《くじょ》の対象《たいしょう》となっています。外来生物法《がいらいせいぶつほう》の目的《もくてき》は，外来種《がいらいしゅ》によって本来《ほんらい》の生態系《せいたいけい》のバランスがくずれたり，人《ひと》に危害《きがい》をあたえたり，農林水産業《のうりんすいさんぎょう》に被害《ひがい》をおよぼしたりするのを防《ふせ》ぐことです。しかし，「外来種《がいらいしゅ》だけが悪《わる》いのか」「特定《とくてい》の種《しゅ》を駆除《くじょ》するのは動物保護《どうぶつほご》の精神《せいしん》に反《はん》する」などの議論《ぎろん》もあります。

外来種《がいらいしゅ》は駆除《くじょ》すべきで，在来種《ざいらいしゅ》を保護《ほご》すべきと考《かんが》えるとわかりやすいですが，問題《もんだい》はそれほど単純《たんじゅん》ではありません。

日本《にほん》に生息《せいそく》する動植物《どうしょくぶつ》は大陸《たいりく》から伝《つた》わったものが多《おお》く，たとえばコスモスやモンシロチョウ，ニホンヤモリなどは外来種《がいらいしゅ》です。これらは私《わたし》たちの生活《せいかつ》に深《ふか》く浸透《しんとう》しているため，駆除《くじょ》を訴《うった》える声《こえ》はあまり聞《き》かれません。

それぞれの地域《ちいき》には長《なが》い年月《ねんげつ》をかけて形成《けいせい》された生態系《せいたいけい》があり，それらは地域《ちいき》の生活《せいかつ》や文化《ぶんか》と深《ふか》くかかわっています。問題《もんだい》は，こうした生態系《せいたいけい》のバランスが短期間《たんきかん》で大《おお》きく変化《へんか》することです。

地域社会《ちいきしゃかい》の未来《みらい》に必要《ひつよう》であれば，外来種《がいらいしゅ》は駆除《くじょ》したほうがよい場合《ばあい》もあります。しかし，外来種《がいらいしゅ》はすべて悪《わる》いと単純《たんじゅん》に割《わ》り切《き》れるものでもありません。

また生態系《せいたいけい》のバランスがくずれる要因《よういん》は外来種《がいらいしゅ》だけではなく，打《う》つべき対策《たいさく》は要因《よういん》によってかわります（右下《みぎした》の図《ず》）。地域《ちいき》にとって望《のぞ》ましい生態系《せいたいけい》はどのような形《かたち》なのかを考《かんが》えることが重要《じゅうよう》だといえます。

1. 飼育《しいく》・栽培《さいばい》

2. 運搬《うんぱん》

3. 保管《ほかん》

4. 輸入《ゆにゅう》

5. 野外《やがい》にはなつ

6. 許可《きょか》のない者《もの》への譲渡《じょうと》

外来生物法《がいらいせいぶつほう》で禁止《きんし》されていること

外来生物法《がいらいせいぶつほう》では，明治時代以降《めいじじだいいこう》に海外《かいがい》から持《も》ちこまれた外来種《がいらいしゅ》のうち，とくに問題《もんだい》の大《おお》きなものを「特定外来生物《とくていがいらいせいぶつ》」に指定《してい》しています。また，すでに国内《こくない》に定着《ていちゃく》している特定外来生物《とくていがいらいせいぶつ》については，必要《ひつよう》に応《おう》じて防除《ぼうじょ》を行《おこな》っています。

第《だい》1の危機《きき》

乱獲《らんかく》や開発《かいはつ》などの人間《にんげん》活動《かつどう》によって多《おお》くの種《しゅ》が絶滅《ぜつめつ》の危機《きき》にさらされる。とくに湿地《しっち》や島《しま》，山岳部《さんがくぶ》で顕著《けんちょ》。

有効《ゆうこう》な対策《たいさく》

人間《にんげん》の介入《かいにゅう》から自然《しぜん》を保護《ほご》する。

第《だい》2の危機《きき》

農村《のうそん》の過疎化《かそか》などにともない，今《いま》まで人《ひと》が手《て》を入《い》れていた里山《さとやま》が荒廃《こうはい》し，特有《とくゆう》の動植物《どうしょくぶつ》が失《うしな》われる。

有効《ゆうこう》な対策《たいさく》

人間《にんげん》と自然《しぜん》のかかわりを再生《さいせい》する。

第《だい》3の危機《きき》

人間《にんげん》によりほかの地域《ちいき》から生物《せいぶつ》が持《も》ちこまれ，それが在来種《ざいらいしゅ》に影響《えいきょう》したり，人間《にんげん》に危害《きがい》を加《くわ》えたりする。

有効《ゆうこう》な対策《たいさく》

新《あら》たにやってきた外来《がいらい》種《しゅ》を指定《してい》し駆除《くじょ》する。

生物多様性《せいぶつたようせい》を守《まも》るための対策《たいさく》

生物多様性《せいぶつたようせい》が失《うしな》われる要因《よういん》にはさまざまなものがあります。どれも人間《にんげん》の活動《かつどう》と深《ふか》くかかわってはいますが，「危機《きき》」の種類《しゅるい》によって対策《たいさく》がことなります。

便利《べんり》さとひきかえにプライバシーを失《うしな》う？

「公《こう》」と「私《し》」の境界《きょうかい》があいまいになってきている

東京《とうきょう》をはじめとする都市《とし》には，膨大《ぼうだい》な数《かず》の監視《かんし》カメラが設置《せっち》されています。今《いま》や監視《かんし》カメラの画像《がぞう》は，AI（Artificial Intelligence，人工知能《じんこうちのう》）によって分析《ぶんせき》されることで，挙動不審者《きょどうふしんしゃ》や危険《きけん》な行為《こうい》を高速《こうそく》かつ自動的《じどうてき》に検出《けんしゅつ》できるようになっています。都市《とし》に暮《く》らす人《ひと》は，**プライバシーとひきかえに，安心《あんしん》・安全《あんぜん》を提供《ていきょう》してくれる監視《かんし》カメラの存在《そんざい》を受《う》け入《い》れているといえるでしょう。**

プライバシーは，現代哲学《げんだいてつがく》の中《なか》でもとくに「政治哲学《せいじてつがく》」の分野《ぶんや》において重要《じゅうよう》なテーマの一《ひと》つです。ドイツ出身《しゅっしん》の政治哲学者《せいじてつがくしゃ》ハンナ・アーレント（1906～1975）は著書《ちょしょ》『人間《にんげん》の条件《じょうけん》』の中《なか》で，プライベートという語《ご》は「欠如《けつじょ》」を意味《いみ》するラテン語《ご》から派生《はせい》したものだと論《ろん》じています。公共空間《こうきょうくうかん》での経済活《けいざいかつ》動《どう》に疲《つか》れた市民《しみん》が，そこでの利害《りがい》関係《かんけい》から解放《かいほう》され，公《こう》が「欠如《けつじょ》」することによって，私的《してき》な秘密性《ひみつせい》が保《たも》たれる「家《いえ》」を安《やす》らぎの場《ば》としてとらえるようになったのです。それが，現在《げんざい》のプライベートという言葉《ことば》があらわすものだといいます。

プライベートという言葉《ことば》から派《は》生《せい》した「プライバシー」には，私生《しせい》活《かつ》とそれに関《かん》する秘密《ひみつ》といった意《い》味《み》があります。このプライバシー権《けん》が，科学技術《かがくぎじゅつ》の発展《はってん》にともなって徐々《じょじょ》にゆらぎはじめています。たとえば現在《げんざい》は，インターネットを通《とお》してあらゆる個人情報《こじんじょうほう》がビッグデータとして，IT企業《きぎょう》などのサーバーに蓄積《ちくせき》されるようになっています。さらにはSNSなどを利《り》用《よう》する中《なか》で，知《し》らず知《し》らずのうちにプライバシーが外部《がいぶ》に筒抜《つつぬ》けの状態《じょうたい》になっている場合《ばあい》もあるのです。もはや，**家《いえ》に代表《だいひょう》される私《し》的領域《てきりょういき》は，プライバシー権《けん》が守《まも》られる安心《あんしん》の場《ば》とはいえなくなってきているのです。**

将来《しょうらい》，プライバシーという概念《がいねん》はなくなってしまうかもしれない

イギリスの哲学者《てつがくしゃ》ジョン・スチュアート・ミル（1806～1873）は，他者《たしゃ》に危《き》害《がい》をおよぼす可能性《かのうせい》がある領域《りょういき》を「公的領域《こうてきりょういき》」，他者《たしゃ》に危害《きがい》をおよぼす可能性《かのうせい》が少《すく》なく，本人《ほんにん》の自由《じゆう》にまかされるべき領域《りょういき》を「私的領域《してきりょういき》」とし，この二《ふた》つの領域《りょういき》を区別《くべつ》することを提唱《ていしょう》しました。科学《かがく》の発展《はってん》にともなって，人類《じんるい》は便利《べんり》さを手《て》に入《い》れるかわりに，プライバシーを失《うしな》いつつあるのかもしれません。

オンラインでのコミュニケーション能力《のうりょく》

対面《たいめん》で得《え》られていた「暗黙知《あんもくち》」が減《へ》っているかもしれない

コロナ禍《か》によって，対面《たいめん》でのコミュニケーションの機会《きかい》は大《おお》きく減《へ》ってしまっています。哲学《てつがく》の分野《ぶんや》においては，ハンガリー出身《しゅっしん》の科学哲学者《かがくてつがくしゃ》マイケル・ポランニー（1891～1975）が提唱《ていしょう》した「暗黙知《あんもくち》」という重要《じゅうよう》な概念《がいねん》があります。これは，経験《けいけん》や勘《かん》，直感《ちょっかん》などにもとづく知識《ちしき》のことで，言葉《ことば》では簡単《かんたん》に説明《せつめい》することができない知識《ちしき》を指《さ》します。私《わたし》たちは人《ひと》との対面《たいめん》コミュニケーションにおいて，この暗黙知《あんもくち》を使《つか》って相手《あいて》の微妙《びみょう》な感情《かんじょう》の変化《へんか》などを読《よ》みとっています。しかし，**コロナ禍《か》などでリモートでのコミュニケーションがふえる中《なか》，この暗黙知《あんもくち》が共有《きょうゆう》されづらくなってきているといいます。**

フランスの哲学者《てつがくしゃ》モーリス・メルロー＝ポンティ（1908～1961）が提唱《ていしょう》した概念《がいねん》に，「間身体性《かんしんたいせい》」があります。これは簡単《かんたん》にいえば，実際《じっさい》に人《ひと》と会《あ》って握手《あくしゅ》するなどの身体的《しんたいてき》な交流《こうりゅう》を通《とお》して，人間《にんげん》は自己《じこ》と他者《たしゃ》の関係《かんけい》を認識《にんしき》するというものです。

これまで，たとえば**会議《かいぎ》などでは会場《かいじょう》での非公式《ひこうしき》な何気《なにげ》ない会話《かいわ》や，握手《あくしゅ》やハグなどの間身体性《かんしんたいせい》を通《つう》じて，暗黙知《あんもくち》が得《え》られてきました**。それが「ソーシャル・キャピタル」の構築《こうちく》において重要《じゅうよう》な役割《やくわり》を果《は》たしてきたとされています。ソーシャル・キャピタルとは19世紀《せいき》に生《う》まれた概念《がいねん》で，人々《ひとびと》がもつ信頼関係《しんらいかんけい》や人間関係《にんげんかんけい》のことです。社会的《しゃかいてき》ネットワークや人脈《じんみゃく》ととらえるとわかりやすいでしょう。

リモートによる会議《かいぎ》やコミュニケーションがふえることで，身体《しんたい》を通《つう》じた交流《こうりゅう》はしだいに減《へ》っていくことが考《かんが》えられます。それによって，暗黙知《あんもくち》がソーシャル・キャピタルの構築《こうちく》においてどれほどの役割《やくわり》を果《は》たしてきたのかが，今後《こんご》，明確化《めいかくか》されていくかもしれません。

対面《たいめん》とオンラインのコミュニケーション

コロナ禍《か》より前《まえ》，対面《たいめん》でコミュニケーションをとるのが当《あ》たり前《まえ》だったころは，何気《なにげ》ない会話《かいわ》や握手《あくしゅ》などを通《とお》して，暗黙知《あんもくち》を得《え》られていたと考《かんが》えられます。コロナ禍《か》によってオンラインでのコミュニケーションがふえた今《いま》，暗黙知《あんもくち》を得《え》る機会《きかい》は減《へ》っているといえます。

ヒトの脳《のう》とコンピューターのしくみは同《おな》じ？

心《こころ》と体《からだ》は，どのようなかかわりをもつのか

近《きん》年《ねん》，人工知能《じんこうちのう》や脳科学《のうかがく》などの心《こころ》にかかわる科学《かがく》の発展《はってん》が目覚《めざ》ましく，「心《こころ》とは何《なに》か」という問題《もんだい》に関《かん》する哲学的《てつがくてき》な思考《しこう》の必要性《ひつようせい》が高《たか》まっています。心《こころ》をあつかう哲学《てつがく》のことを「心《こころ》の哲学《てつがく》」といいます。人間《にんげん》の心《こころ》（意識《いしき》）と体《からだ》（物体《ぶったい》）がどのようなかかわりをもっているのかという問題《もんだい》は，古代《こだい》ギリシャ時代《じだい》から長《なが》い間考《あいだかんが》えられてきた，哲学《てつがく》の中心問題《ちゅうしんもんだい》の一《ひと》つです。

脳科学《のうかがく》や神経生理学《しんけいせいりがく》などの心《こころ》にかかわる科学《かがく》が発展《はってん》するにつれて，機能主義《きのうしゅぎ》（関数主義《かんすうしゅぎ》）なども生《う》まれました。この考《かんが》え方《かた》では，心《こころ》はある刺激《しげき》に対《たい》してどう反応《はんのう》するのかという，「入力《にゅうりょく》」と「出力《しゅつりょく》」の関係《かんけい》で定義《ていぎ》されます。同《おな》じ入出力関《にゅうしゅつりょくかん》係《けい》をもつなら，コンピューターも人間《にんげん》も同《おな》じという考《かんが》え方《かた》です。しかし，**自分《じぶん》が感《かん》じる主観的《しゅかんてき》なイメージの世界《せかい》は，脳《のう》の機能《きのう》だけでは説明《せつめい》ができないこともわかりました**。現在《げんざい》，心《こころ》の哲学《てつがく》は，脳科学《のうかがく》などの心《こころ》をあつかう科学《かがく》とバランスをとりながら発展《はってん》しています。

機能主義《きのうしゅぎ》における心《こころ》の定義《ていぎ》

機能主義《きのうしゅぎ》では，人間《にんげん》の心《こころ》もコンピューターと同《おな》じ入出力関係《にゅうしゅつりょくかんけい》をもつと考《かんが》えます。コンピューターにキーボードで文字《もじ》が入力《にゅうりょく》されると，画面《がめん》にはその文字《もじ》が出力《しゅつりょく》されます。同様《どうよう》に，人間《にんげん》の心《こころ》は，ベルの音《おと》が聞《き》こえる（入力《にゅうりょく》される）と，ドキドキする（出力《しゅつりょく》される）ととらえるのです。

AIに『責任《せきにん》』は
とれるのか

自動運転《じどううんてん》の事故《じこ》から考《かんが》える
AIの倫理問題《りんりもんだい》

AI（人工知能《じんこうちのう》）による自動運《じどううん》転《てん》は応用《おうよう》が進《すす》んでおり，日《に》本《ほん》でも公道《こうどう》での実証実験《じっしょうじっけん》が行《おこな》われています。それでは，もし自動《じどう》運転車《うんてんしゃ》がAIの判断《はんだん》ミスにより事《じ》故《こ》をおこした場合《ばあい》，その責任《せきにん》は“だれ”が負《お》うのでしょうか。

私《わたし》たちは損害《そんがい》が生《しょう》じたとき，その損害《そんがい》を生《う》みだした相手《あいて》に「責《せき》任《にん》」を問《と》います。そして問題《もんだい》の原《げん》因《いん》となった「行為《こうい》」が，損害《そんがい》を生《う》みだした相手《あいて》によるものかどうかを考《かんが》えます。ただし，**その損害《そんがい》を生《う》みだした相手《あいて》が，そもそも責任《せきにん》を負《お》う能力《のうりょく》があるかどうかを考《かんが》える必要《ひつよう》があります。**

哲学《てつがく》では，行為《こうい》を生《う》みだす能力《のうりょく》をそなえたものを「行為者《こういしゃ》」といいます。伝統的《でんとうてき》に，行為者《こういしゃ》は人間《にんげん》のみだとされてきました。行為者《こういしゃ》になるためには「自由意志《じゆういし》」が必《ひつ》要《よう》だと考《かんが》えられていたからです。

この考《かんが》えでは，単《たん》に規則《きそく》だけにしたがって行動《こうどう》するAIは自由意《じゆうい》志《し》があるとはいえず，行為者《こういしゃ》にあたりません。したがって，AIに責《せき》任《にん》を問《と》うことはできないことになります。

仮《かり》に，人間《にんげん》の自由意志《じゆういし》が科学的《かがくてき》に解明《かいめい》され，AIに組《く》みこめた場合《ばあい》は，AIに責任《せきにん》を問《と》えるという見方《みかた》もできます。いずれにせよ自由意《じゆうい》志《し》の存在《そんざい》が，重要《じゅうよう》な論点《ろんてん》になるようです。

アメリカでは，すでに自動運転車《じどううんてんしゃ》による交通事故《こうつうじこ》が発生《はっせい》している

2018年《ねん》3月《がつ》18日《にち》，アメリカで自動運転車《じどううんてんしゃ》の試験走行中《しけんそうこうちゅう》に死亡事故《しぼうじこ》が発生《はっせい》しました。下《した》の写真《しゃしん》は事故現場《じこげんば》をとらえたニュース番組《ばんぐみ》の1シーン。自動運転《じどううんてん》の状況《じょうきょう》を監視《かんし》するドライバーは過失致死罪《かしつちしざい》で訴追《そつい》され，自動運転車《じどううんてんしゃ》を開発《かいはつ》した会社《かいしゃ》は訴《うった》えられませんでした。

AIの進化《しんか》で人間《にんげん》との区別《くべつ》がつかなくなる？

AIが進化《しんか》するほど，人間《にんげん》固有《こゆう》の特徴《とくちょう》がゆらいでいく

近《きん》代《だい》以降《いこう》，哲学者《てつがくしゃ》たちは「人間《にんげん》の本質《ほんしつ》とは何《なに》か」「人間《にんげん》固有《こゆう》の特徴《とくちょう》とは何《なに》か」というテーマを追《お》ってきました。それに回答《かいとう》をあたえると考《かんが》えられてきた議論《ぎろん》の一《ひと》つに，心《こころ》の哲学《てつがく》であつかわれてきた，人間《にんげん》の「志向性《しこうせい》」があります。志向性《しこうせい》とは，特定《とくてい》の対象《たいしょう》に関《かん》心《しん》を寄《よ》せることをいいます。ところが，**AIの登場《とうじょう》により，「志向性《しこうせい》は，はたして人間《にんげん》固有《こゆう》の特徴《とくちょう》だといえるのか」ということが問《と》われはじめているのです。**

たとえば，アメリカの哲学者《てつがくしゃ》ジョン・サール（1932～）とダニエル・デネット（1942～）は，AIが登場《とうじょう》しはじめた1980年《ねん》ごろから，「AIに人間《にんげん》の志向性《しこうせい》は再現《さいげん》できるか」という議論《ぎろん》をしてきました。サールは1980年《ねん》に発表《はっぴょう》した論文《ろんぶん》「心《こころ》と脳《のう》のプログラム」の中《なか》で，AIは単《たん》に情報処理《じょうほうしょり》をするだけのもの（弱《よわ》いAI）であり，人間《にんげん》の志向性《しこうせい》を再現《さいげん》できるAIをつくることはできないだろうと主張《しゅちょう》してきました。それに対《たい》し，デネットは，AIにも志向性《しこうせい》をもたせることはできるのではないかと考《かんが》えてきました。

1990年代《ねんだい》の終《お》わりから今日《こんにち》にかけて，ビッグデータの蓄積《ちくせき》と，深《しん》層学習《そうがくしゅう》や機械学習《きかいがくしゅう》などの発展《はってん》にともない，AIは急速《きゅうそく》に進化《しんか》しました。デネットが主張《しゅちょう》してきたように，**今後《こんご》，人間《にんげん》と同等《どうとう》の言語能力《げんごのうりょく》をもち，志向性《しこうせい》を再現《さいげん》することのできるAI（強《つよ》いAI）が実現《じつげん》される可能性《かのうせい》が高《たか》まってきています。**

哲学《てつがく》の世界《せかい》では，志向性《しこうせい》とともに，言語能力《げんごのうりょく》やコミュニケーション能力《のうりょく》も人間《にんげん》固有《こゆう》の特徴《とくちょう》だと考《かんが》えられてきましたが，今後《こんご》もそうであるとはいえなくなっていくでしょう。

人間固有《にんげんこゆう》の特徴《とくちょう》とは何《なに》か

人間固有《にんげんこゆう》の特徴《とくちょう》として，「共同志向性《きょうどうしこうせい》」や「理性《りせい》」などもあげられます。共同志《きょうどうし》向性《こうせい》とは，たがいの志向性《しこうせい》を他者《たしゃ》と協調《きょうちょう》させながら，一《ひと》つの目標《もくひょう》を共有《きょうゆう》し，共《きょう》同行動《どうこうどう》をとることができる能力《のうりょく》のことです。AIの進化《しんか》により，これら人間固有《にんげんこゆう》の特徴《とくちょう》とされた概念《がいねん》が根本《こんぽん》からゆらいでいるのです。

他人《たにん》の行動《こうどう》を予測《よそく》できるのはなぜか

他人《たにん》の行動《こうどう》を自分《じぶん》の行動《こうどう》としてシミュレーションするから?

私《わたし》たちが他人《たにん》の行動《こうどう》を理解《りかい》したり予測《よそく》したりするときには，その人《ひと》の心《こころ》の中《なか》で何《なに》がおきているのかを推測《すいそく》します。**目的《もくてき》・欲《よっ》求《きゅう》・信念《しんねん》などの心《こころ》のはたらきと，そこからみちびきだされる行動《こうどう》との関連性《かんれんせい》などについての考《かんが》えを，「心《こころ》の理論《りろん》」とよびます。**また，心《こころ》の理論《りろん》にもとづいて人《ひと》の心《こころ》の状態《じょうたい》を推測《すいそく》する能力《のうりょく》があることを，「心《こころ》の理論《りろん》をもつ」といいます。この表現《ひょうげん》を発案《はつあん》したのは，アメリカの霊長類研究者《れいちょうるいけんきゅうしゃ》のデイヴィッド・プリマックとガイ・ウッドラフです。二人《ふたり》は，チンパンジーの実験《じっけん》を通《つう》じて，チンパンジーも人間《にんげん》と同《おな》じく心《こころ》の理論《りろん》をもつと考《かんが》えました。

一方《いっぽう》，他人《たにん》の心《こころ》の理解《りかい》は，心《こころ》の理論《りろん》を通《とお》してではなく，まねすることを通《とお》して得《え》られていると考《かんが》える哲学者《てつがくしゃ》もいます。私《わたし》たちは，他《た》人《にん》のようすや行動《こうどう》を自分《じぶん》の行動《こうどう》としてシミュレーションし，そのときの自分《じぶん》の心《こころ》の状態《じょうたい》をみることで，他人《たにん》の心《こころ》の状態《じょうたい》を理解《りかい》しているといいます。この考《かんが》え方《かた》を，「シミュレーション説《せつ》」といいます。

心《こころ》の理論《りろん》とシミュレーション説《せつ》は，どちらが正《ただ》しいのかはわかっていません。また，ほかのしくみである可能性《かのうせい》もあります。

チンパンジーの実験《じっけん》

プリマックとウッドラフは，14歳《さい》の雌《めす》のチンパンジーの「サラ」を被験者《ひけんしゃ》として，さまざまな実験《じっけん》を行《おこな》いました。サラは，プラスチックのボードによる視覚《しかく》言語《げんご》を学習《がくしゅう》し，さまざまな心理《しんり》実験《じっけん》に参加《さんか》しました。

Column

コーヒーブレーク

哲《てつ》学《がく》的《てき》思《し》考《こう》が身《み》につく「クリティカルシンキング」

哲《てつ》学《がく》的《てき》思《し》考《こう》の一《ひと》つとして近年《きんねん》注目《ちゅうもく》を集《あつ》めているのが，クリティカルシンキングです。

クリティカルシンキングとは，「批判的思考《ひはんてきしこう》」とよばれるもので，みちびきだした結論《けつろん》がほんとうに正《ただ》しいのかどうかを検証《けんしょう》するような思考《しこう》のことです。価値観《かちかん》が多様《たよう》化《か》する現代社会《げんだいしゃかい》では，結論《けつろん》をみちびきだすための根拠《こんきょ》となる前提《ぜんてい》そのものが崩《くず》れてしまうこともあります。

一方《いっぽう》，SNSが高度《こうど》に発展《はってん》した社《しゃ》会《かい》では，前提《ぜんてい》となる根拠《こんきょ》そのものがニセモノであったり，そもそも根拠《こんきょ》がない可能性《かのうせい》もあります。その中《なか》で正《ただ》しい結論《けつろん》は何《なに》かをさぐるクリティカルシンキングは，不透《ふとう》明《めい》な時代《じだい》を生《い》き抜《ぬ》くために，これから必要《ひつよう》になってくる能力《のうりょく》といえるでしょう。

哲学《てつがく》でいう議論《ぎろん》とは，理由《りゆう》をあげて，そこから結論《けつろん》をみちびきだすことです。議論《ぎろん》には，次《つぎ》の三《みっ》つの要素《ようそ》があります。

1. 主《おも》な主張《しゅちょう》（結論《けつろん》）
2. 理由《りゆう》となる主張《しゅちょう》（前提《ぜんてい》）
3. 前提《ぜんてい》と結論《けつろん》のつながり（推論《すいろん》）

クリティカルシンキングの基本《きほん》は，以上《いじょう》の三《みっ》つの要素《ようそ》をはっきりさせて，理由《りゆう》となる主張《しゅちょう》が妥当《だとう》か，前提《ぜんてい》と結論《けつろん》のつながりは妥当《だとう》かを吟味《ぎんみ》する（くわしく調《しら》べて確《たし》かめる）ことです。そしてクリティカルシンキングでは，次《つぎ》の三《みっ》つを行《おこな》います。

1. 議論《ぎろん》の明確化《めいかくか》
2. 前提《ぜんてい》の検討《けんとう》
3. 推論《すいろん》の検討《けんとう》

日常的《にちじょうてき》な問題《もんだい》を検討《けんとう》するには，前提《ぜんてい》と推論《すいろん》を検討《けんとう》して，ともに妥《だ》当《とう》だと判定《はんてい》されたなら，結論《けつろん》も一《いち》応《おう》妥当《だとう》と考《かんが》えられます。

クリティカルシンキングは，議《ぎ》論《ろん》を特定《とくてい》するところからはじまります。そして議論《ぎろん》を吟味《ぎんみ》していくことによって，新《あたら》しい価値《かち》の発見《はっけん》や思《おも》わぬ見落《みお》としへの気《き》づきが得《え》られることでしょう。

参考文献：伊勢田哲治「哲学思考トレーニング』（筑摩書房）

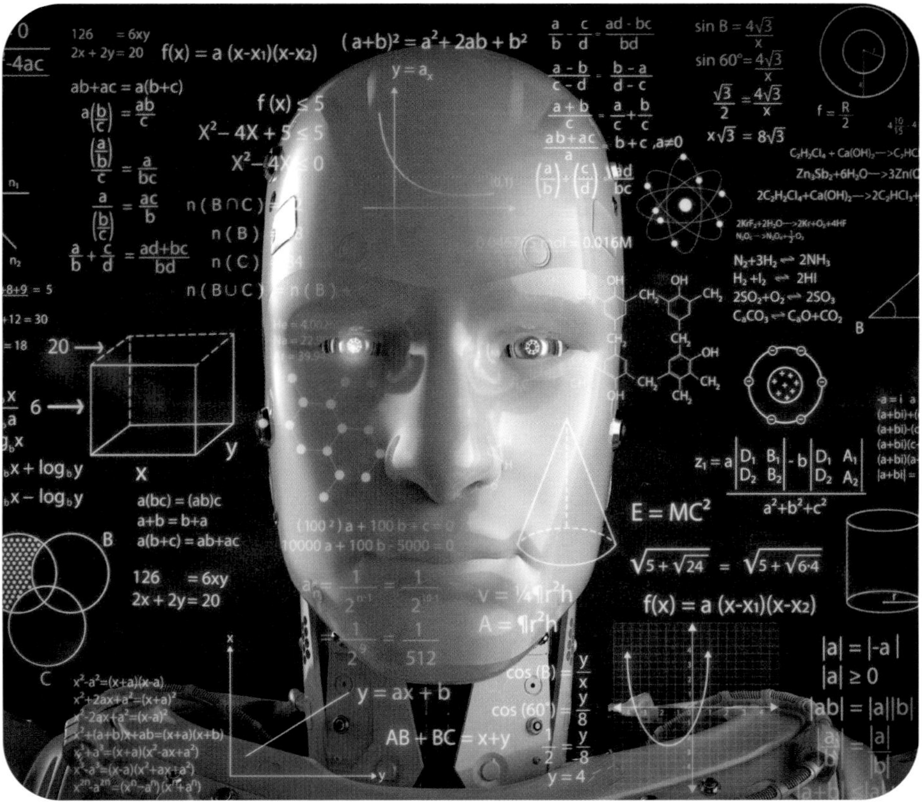

正《ただ》しい主張《しゅちょう》（結論《けつろん》）は，その前提《ぜんてい》となる根拠《こんきょ》や推論《すいろん》を正《ただ》しく疑《うたが》って，よく吟味《ぎんみ》することが必要《ひつよう》になります。それによって，思《おも》わぬ発見《はっけん》やまちがっていた思《おも》いこみを発見《はっけん》することができるようになります。

これからの時代に必要な現代哲学　科学と倫理 デジタル社会

現代哲学《げんだいてつがく》マップを ながめてみよう

紹介《しょうかい》した内容《ないよう》は，ほんの一部《いちぶ》にすぎない

世界《せかい》の要素《ようそ》にかかわる哲学《てつがく》

人《ひと》の営《いとな》みにかかわる哲学《てつがく》

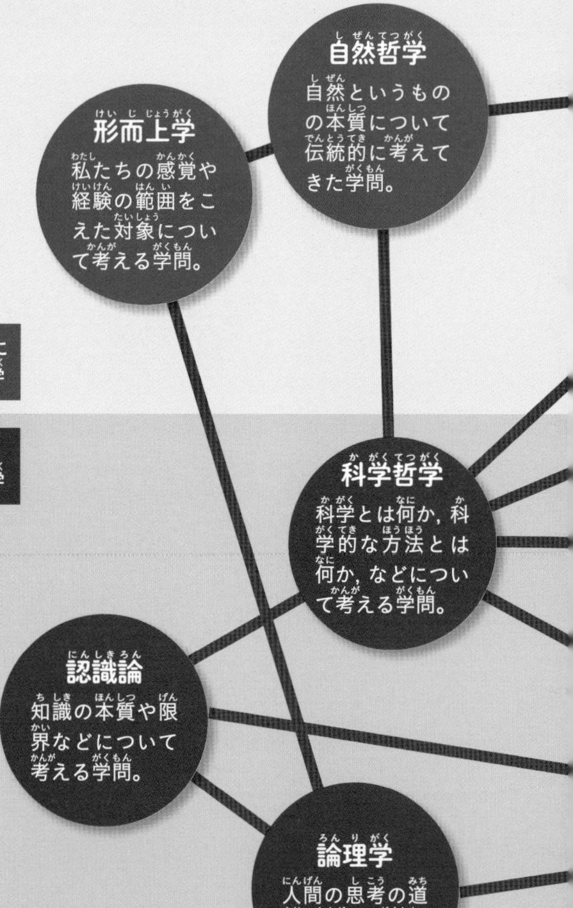

現代哲学《げんだいてつがく》マップ

現代哲学《げんだいてつがく》の主《おも》な分野《ぶんや》を見渡《みわた》せる，「哲学《てつがく》マップ」をえがきました。大《おお》まかにつながりの深《ふか》い分野《ぶんや》どうしを，線《せん》で結《むす》んでいます。

この本《ほん》ではこれまで，古代《こだい》から2500年以上《ねんいじょう》にもわたってつづいてきた哲学《てつがく》の歴史《れきし》を，とくに科《か》学《がく》とのかかわりが深《ふか》い項目《こうもく》に注目《ちゅうもく》して紹介《しょうかい》してきました。4章《しょう》の最後《さいご》に，**現代哲学《げんだいてつがく》の主《おも》な分野《ぶんや》を見渡《みわた》せる「哲《てつ》学《がく》マップ」を紹介《しょうかい》しましょう**（下《した》のイラスト）。

哲学《てつがく》マップをながめてみると，実《じつ》にさまざまな事物《じぶつ》が研究対象《けんきゅうたいしょう》とされていることがわかるでしょう。これまでに紹介《しょうかい》してきた内容《ないよう》は，哲学《てつがく》という広大《こうだい》な学問《がくもん》のほんの一部《いちぶ》にすぎないのです。

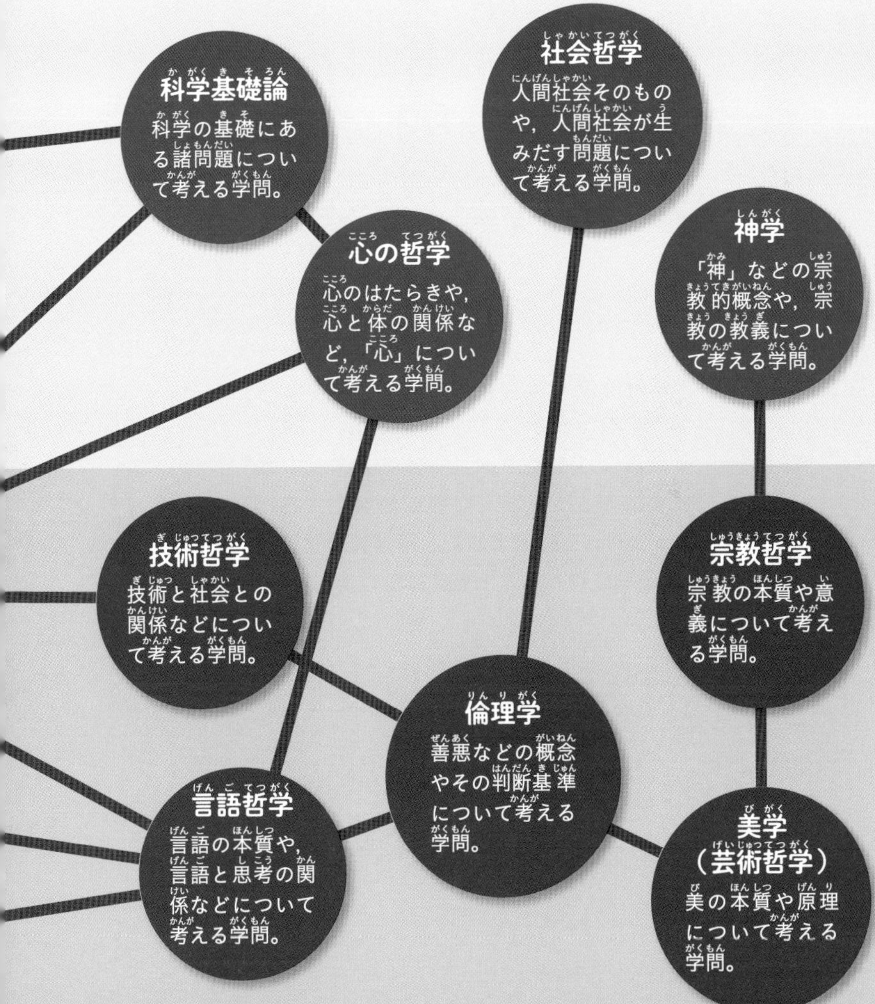

5

哲学《てつがく》に親《した》しむ
7つの思考実験《しこうじっけん》

思考実験《しこうじっけん》とは，哲学者《てつがくしゃ》や科学者《かがくしゃ》が理論《りろん》からみちびかれた現象《げんしょう》を思考《しこう》によってのみ実験《じっけん》する方法《ほうほう》で，その対象《たいしょう》はさまざまです。相《そう》対性理論《たいせいりろん》のような重要《じゅうよう》な物理法則《ぶつりほうそく》を生《う》みだすきっかけにもなりました。思考実験《しこうじっけん》を通《つう》じて,論理的《ろんりてき》に考《かんが》える方法《ほうほう》を身《み》につけましょう。

AIは人間《にんげん》の言葉《ことば》を理解《りかい》しているのか？

適切《てきせつ》な回答《かいとう》をすることと，正《ただ》しく理解《りかい》することは違《ちが》う

哲《てつ》学者《がくしゃ》ジョン・サールは，言葉《ことば》の意味《いみ》を理解《りかい》する「心《こころ》のしくみ」をボタンを押《お》せば何《なん》でも出《で》てくる機械《きかい》のようにみなす考《かんが》え方《かた》を批判《ひはん》しました。そのときに行《おこな》ったのが「中国語《ちゅうごくご》の部屋《へや》」という思考実験《しこうじっけん》です。

ある部屋《へや》には小《ちい》さな窓《まど》があり，中国語《ちゅうごくご》が書《か》かれた質問《しつもん》カードを入《い》れると，部屋《へや》の中《なか》から中国語《ちゅうごくご》で書《か》かれた回答《かいとう》カードが返《かえ》されるというしくみです。中国語《ちゅうごくご》のカードのやり取《と》りでは，毎回《まいかい》，的確《てきかく》な回《かい》答《とう》がやり取《と》りされて，コミュニケーションが成立《せいりつ》しています。しかし，実《じつ》はこの部屋《へや》の中《なか》では，英語《えいご》しかわからない人《ひと》が，カードの出《だ》し入《い》れをしていました。さて，このとき，部屋《へや》の中《なか》にいる人《ひと》は中国《ちゅうごく》語《ご》を理解《りかい》しているといえますか？それともいえませんか？

この思考実験《しこうじっけん》の内容《ないよう》を聞《き》いて，部屋《へや》の中《なか》にいる人《ひと》が，中国語《ちゅうごくご》を理《り》解《かい》していると考《かんが》える人《ひと》は，ほとんどいないと思《おも》います。**言葉《ことば》の意味《いみ》を理解《りかい》することは，プログラムのように言葉《ことば》を処理《しょり》することではないからです。**

近年《きんねん》，人工知能《じんこうちのう》（AI）の深層学習《しんそうがくしゅう》（ディープラーニング）技術《ぎじゅつ》が注《ちゅう》目《もく》されています。Googleが開発《かいはつ》したAIプログラムでは，前後《ぜんご》の単語《たんご》などの文脈《ぶんみゃく》から文意《ぶんい》を判断《はんだん》して，その文《ぶん》に合《あ》った適切《てきせつ》な回答《かいとう》を返《かえ》すことができるといわれています。

では，このAIは，人間《にんげん》の言葉《ことば》を理解《りかい》しているといえるのでしょうか。文脈《ぶんみゃく》を理解《りかい》するAIも，入力《にゅうりょく》された質問《しつもん》に対《たい》して適切《てきせつ》な回答《かいとう》を出《しゅつ》力《りょく》しているということでは，中国《ちゅうごく》語《ご》の部屋《へや》でおきていることと同《おな》じです。**つまり，AIは人間《にんげん》の言葉《ことば》の意味《いみ》をほんとうに理解《りかい》しているというわけではない，ということがいえそうです。**

AIは人間《にんげん》の言葉《ことば》の意味《いみ》を理解《りかい》できるのか?

心《こころ》はコンピューターやAIのプログラムのような記号《きごう》であらわされるのではなく，心《こころ》は自分《じぶん》が感《かん》じている何《なに》かであらわされる，とサールはいいました。そして，人間《にんげん》がつくるあらゆる人工物《じんこうぶつ》が，人間《にんげん》と同《おな》じような心《こころ》をもつためには，プログラムを実行《じっこう》するだけでは不十分《ふじゅうぶん》で，人間《にんげん》の脳《のう》とまったく同《おな》じように心《こころ》の状《じょう》態《たい》を生《う》みだす力《ちから》が必要《ひつよう》であると語《かた》っています。

参考文献：ジョン・サール著，土屋俊訳『心・脳・科学』(岩波書店)

『経験《けいけん》』することの価値《かち》とは何《なん》だろうか？

快《こころよ》い経験以外《けいけんいがい》に経験《けいけん》の価値《かち》とは何《なに》か？

もし，あなたが望《のぞ》むどんな経《けい》験《けん》でも即座《そくざ》にあたえてくれる機械《きかい》があったら，あなたは一生《いっしょう》その機械《きかい》につながれたままの人生《じんせい》を選《えら》びますか？

ただし，自分《じぶん》の望《のぞ》みどおりの経《けい》験《けん》をしている間《あいだ》，脳《のう》には電極《でんきょく》がつけられ，体《からだ》は水槽《すいそう》の中《なか》で保存《ほぞん》されるというのが条件《じょうけん》です。もちろん，体験《たいけん》をしている間《あいだ》は自分《じぶん》が水《すい》槽《そう》の中《なか》にいることはわからず，すべてが現実《げんじつ》におきていると感《かん》じることができます。

この「経験機械《けいけんきかい》」とよばれる思《し》考実験《こうじっけん》は，哲学者《てつがくしゃ》のロバート・ノージック（1938～2002）が，「快《こころよ》い経験《けいけん》」以外《いがい》に私《わたし》たちが経験《けいけん》を通《とお》して感《かん》じる「価値《かち》」は何《なに》か？　を知《し》るために考《かんが》えたものです。

私《わたし》たち人間《にんげん》が何《なに》かを体験《たいけん》するときには，その経験《けいけん》に具体的《ぐたいてき》な現実《げんじつ》が対応《たいおう》しているのが普通《ふつう》です。たとえば，恋愛《れんあい》を体験《たいけん》しているときには，どこかのだれかと付《つ》き合《あ》っている現実《げんじつ》があるはずです。

このような状況《じょうきょう》で経験《けいけん》とそれ以《い》外《がい》のものを検証《けんしょう》する場合《ばあい》は，恋愛《れんあい》経験《けいけん》というものに私《わたし》たちが価値《かち》を認《みと》めているのか，それとも，恋愛《れんあい》しているという現実《げんじつ》に価値《かち》を認《みと》めているのかがはっきりしません。そこで，**その関係《かんけい》を経験機械《けいけんきかい》という思考実験《しこうじっけん》で切《き》りはなすことで，自分自身《じぶんじしん》の理解《りかい》を深《ふか》めることができるとされたのです。このような思考実験《しこうじっけん》のことを「価値論的思考《かちろんてきしこう》実験《じっけん》」とよんでいます。**

自分自身《じぶんじしん》への理解《りかい》が深《ふか》まる思考実験《しこうじっけん》

ロバート・ノージックは，アメリカの哲学者《てつがくしゃ》で個人的自由《こじんてきじゆう》と経済的自由《けいざいてきじゆう》を重視《じゅうし》する考《かんが》えをもっていました。著作《ちょさく》では個人《こじん》の権利《けんり》を侵害《しんがい》しない最小国家《さいしょうこっか》が成立《せいりつ》する可能性《かのうせい》についてのべています。経験機械《けいけんきかい》の思考実験《しこうじっけん》は，『アナーキー・国《こっ》家《か》・ユートピア——国家《こっか》の正当性《せいとうせい》とその限界《げんかい》』に掲載《けいさい》されています。

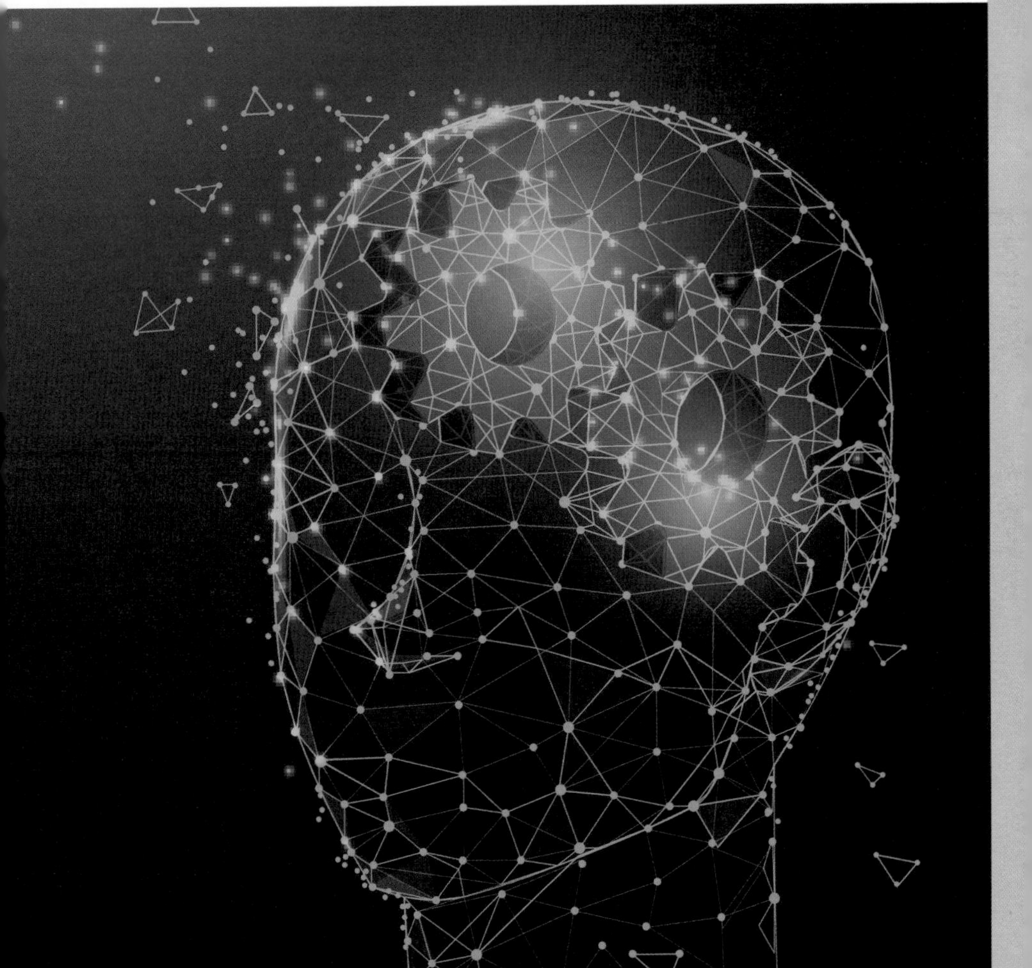

参考文献：ロバート・ノージック著，嶋津格訳『アナーキー・国家・ユートピア——国家の正当性とその限界』（木鐸社）

自《じ》分《ぶん》の『痛《いた》み』が伝《つた》わらないのはなぜ？

感覚《かんかく》や感情《かんじょう》といった個人的体験《こじんてきたいけん》を，他人《たにん》が確《たし》かめることはできない

医《い》師《し》に「痛《いた》いところ」が伝《つた》わらず，もどかしく思《おも》ったことはありませんか？　オーストリアの哲学者《てつがくしゃ》ルートヴィヒ・ウィトゲンシュタイン（1889 ～ 1951）は，自分《じぶん》の痛《いた》みを相手《あいて》に伝《つた》えられない理由《りゆう》を，「箱《はこ》の中《なか》のカブトムシ」という思考実験《しこうじっけん》で明《あき》らかにしています。

「カブトムシ」が入《はい》った箱《はこ》を，だれもが一《ひと》つもっているとします。ただし，他人《たにん》の箱《はこ》の中身《なかみ》は確《たし》かめられません。もしかしたら，ほかの人《ひと》の箱《はこ》は空《から》っぽかもしれませんし，中身《なかみ》が「カブトムシ」でない可《か》能性《のうせい》もあります。つまり，自分《じぶん》と他人《たにん》の箱《はこ》の中身《なかみ》が同《おな》じである保《ほ》証《しょう》は，どこにもないのです。

箱《はこ》の中《なか》の「カブトムシ」を「痛《いた》み」に置《お》きかえましょう。箱《はこ》の中身《なかみ》を他人《たにん》が確《たし》かめられないのですから，「痛《いた》み」の状態《じょうたい》を相手《あいて》に伝《つた》えることは，そもそもできないのです。

このように自分《じぶん》の感覚《かんかく》や感情《かんじょう》，意志《いし》，思考《しこう》といった個人的体験《こじんてきたいけん》をあらわす言葉《ことば》を，ウィトゲンシュタインは「私的言語《してきげんご》」と表現《ひょうげん》しました。そして，私的言語《してきげんご》は決《き》まったものを示《しめ》すのではなく，使《つか》っているうちに使《つか》い方《かた》が決《き》まってくる言語《げんご》であると考《かんが》えました。

参考文献：ルートヴィヒ・ウィトゲンシュタイン著，藤本隆志訳
『ウィトゲンシュタイン全集8「哲学探究」』（大修館書店）

言葉《ことば》が使用《しよう》される場面《ばめん》に注目《ちゅうもく》する

「箱《はこ》の中《なか》のカブトムシ」の思考実験《しこうじっけん》は，ウィトゲンシュタインの著作《ちょさく》『哲学探《てつがくたん》究《きゅう》』で紹介《しょうかい》されています。この著作《ちょさく》は，「言葉《ことば》の意味《いみ》は何《なに》か？」を追求《ついきゅう》したもので，言葉《ことば》の使用場面《しようばめん》から意味《いみ》をみちびきだすことが考《かんが》えられています。

何《なに》かを『知《し》っている』といえる条件《じょうけん》とは？

知識《ちしき》を獲得《かくとく》する際《さい》の，信頼《しんらい》できるプロセスが重要《じゅうよう》

ある父親《ちちおや》が息子《むすこ》に，目《め》に入《はい》るものを言葉《ことば》に出《だ》して教《おし》えていました。「あれは牛《うし》」「あれはトラクター」「あれは小屋《こや》」。ところが，「あれは小屋《こや》」と父親《ちちおや》がいったときに，そこは映画《えいが》のセットでニセの小屋《こや》がたくさんある場所《ばしょ》でした。ニセの小屋《こや》は非常《ひじょう》に精巧《せいこう》に作《つく》られていて，遠《とお》くからではまったく判別《はんべつ》ができませんでした。このとき，たまたま本物《ほんもの》の小屋《こや》が見《み》え，父親《ちちおや》が「あそこに小屋《こや》がある」と確信《かくしん》したとして，彼《かれ》はほんとうにそれが本物《ほんもの》の小屋《こや》であると知《し》っているといえるのでしょうか？

これは哲学者《てつがくしゃ》アルヴィン・ゴールドマン（1938～）が考《かんが》えた思考《しこう》実験《じっけん》です。この実験《じっけん》は，ある人《ひと》が「何《なに》かを知《し》っている（その知識《ちしき》がある）」といえるための「必要《ひつよう》条件《じょうけん》」を考《かんが》えたものです。前述《ぜんじゅつ》した思考実験《しこうじっけん》には，二《ふた》つの見方《みかた》があるといいます。一《ひと》つは，「見《み》たのは，たまたまニセの小屋《こや》でなかっただけで，ニセの小屋《こや》でも，本物《ほんもの》の小屋《こや》だと思《おも》っただろう」，このように考《かんが》えると，「父親《ちちおや》が小屋《こや》がそこにあると知《し》っている」とはいいたくなくなります。一方《いっぽう》，ニセの小屋《こや》がある状況《じょうきょう》を無視《むし》すれば，本物《ほんもの》の小屋《こや》を見《み》て，「あそこに小屋《こや》がある」と確信《かくしん》しているのだから，知《し》っているはずだという考《かんが》え方《かた》も一理《いちり》ある気《き》がします。では，確《たし》かな知識《ちしき》とはどうやって得《え》られるのでしょう。そのことについて，ゴールドマンは「仮《かり》にニセの小屋《こや》があったとしても，それを判別《はんべつ》できるという状況《じょうきょう》」が必要《ひつよう》だとしました。**つまり，確信《かくしん》できる知識《ちしき》には，「専門家《せんもんか》に教《おそ》わったニセの小屋《こや》の正《ただ》しい見分《みわ》け方《かた》を知《し》っている」などの「信頼《しんらい》できるプロセス」が必要《ひつよう》であると考《かんが》えました。**

参考文献：上枝美典『現代認識論入門』（勁草書房）

知識《ちしき》には信頼《しんらい》できるプロセスが必要《ひつよう》

父親《ちちおや》が小屋《こや》についての「知識《ちしき》」があるといえるかどうかは，その知識《ちしき》に対《たい》して「信頼《しんらい》できるプロセス」があるかどうかが重要《じゅうよう》になります。その小屋《こや》がニセモノであったとき，それを判別《はんべつ》できるかどうかが，確《たし》かな知識《ちしき》の分《わ》かれ目《め》といえます。

自分《じぶん》が自分《じぶん》であることはどう証明《しょうめい》する？

「同《おな》じ人《ひと》」の基準《きじゅん》に正解《せいかい》はないのかもしれない

哲《てつ》学者《がくしゃ》デレク・パーフィット（1942～2017）は，自分《じぶん》が自分《じぶん》であることの証明《しょうめい》（自己同一《じこどういつ》性《せい》の証明《しょうめい》）は何《なに》か？　ということを「火星遠隔転送機《かせいえんかくてんそうき》」という思考《しこう》実験《じっけん》で考《かんが》えました。火星《かせい》への遠隔《えんかく》転送機《てんそうき》が新《あら》たに開発《かいはつ》されたと仮定《かてい》します。ただし，体《からだ》を遠隔転送《えんかくてんそう》するのではなく，自分《じぶん》の細胞《さいぼう》をデータ化《か》して送信《そうしん》し，火星《かせい》でデータから体《からだ》を再生《さいせい》するというしくみなのです。もちろん，火星《かせい》で再生《さいせい》された自分《じぶん》は，見《み》た目《め》も感覚《かんかく》も，考《かんが》え方《かた》も記憶《きおく》も，転送直前《てんそうちょくぜん》の状態《じょうたい》のままです。ただし，地球《ちきゅう》に残《のこ》された体《からだ》は破壊《はかい》されます。さて，いよいよ火星《かせい》に転送《てんそう》するときに，不幸《ふこう》にも事故《じこ》が発生《はっせい》しました。火星《かせい》に自分《じぶん》のデータが転送《てんそう》され，体《からだ》が再生《さいせい》されたまではよかったのですが，なんと地球《ちきゅう》には体《からだ》も意識《いしき》もそっくりの自分《じぶん》が残《のこ》ってしまったのです。

この思考実験《しこうじっけん》でパーフィットは，ある人《ひと》と別《べつ》の人《ひと》が「同《おな》じ人《ひと》」かどうかには，程度《ていど》の問題《もんだい》で正解《せいかい》がないこともあると考《かんが》えました。事故《じこ》がおこらず，地球《ちきゅう》にある体《からだ》が確実《かくじつ》に破壊《はかい》されていたら，火星《かせい》に行《い》く前《まえ》の自分《じぶん》と火星《かせい》に転送《てんそう》された自分《じぶん》は同一人物《どういつじんぶつ》であるということを考《かんが》えるのはむずかしいことではありません。しかし，地球《ちきゅう》に自分《じぶん》の体《からだ》が残《のこ》ってしまうと突然《とつぜん》，火星《かせい》の自分《じぶん》がニセモノのように思《おも》えます。しかし，よく考《かんが》えてみると転《てん》送機《そうき》に入《はい》る前《まえ》の自分《じぶん》と火星《かせい》の転送《てんそう》機《き》から出《で》てきた自分《じぶん》の関係《かんけい》は，体《からだ》が破壊《はかい》されているかどうかにかかわらず同《おな》じです。地球《ちきゅう》に自分《じぶん》が残《のこ》っているという理由《りゆう》で「同《おな》じ人《ひと》」かどうかの判断《はんだん》がかわるのは，おかしな話《はなし》です。**結局《けっきょく》，「同《おな》じ人《ひと》」の基準《きじゅん》に正解《せいかい》はないのではないかとパーフィットは考《かんが》えました。**

参考文献：デレク・パーフィット著，森村進訳
『理由と人格―非人格性の倫理へ』（勁草書房）

自分《じぶん》が自分《じぶん》であるとは?

イギリスの哲学者《てつがくしゃ》デレク・パーフィットが著《あらわ》した『理由《りゆう》と人格《じんかく》』。火星《かせい》への遠隔《えんかく》転送機《てんそうき》の思考実験《しこうじっけん》は，第三部《だいさんぶ》の「人格《じんかく》の同一性《どういつせい》」という章《しょう》で紹介《しょうかい》されます。パーフィットは，細胞《さいぼう》がすべて入《い》れかわった自分《じぶん》の同一性《どういつせい》について質問《しつもん》することは，無意味《むいみ》な問《と》いであるともいっています。

使《つか》う言葉《ことば》がちがえば，見《み》えている世界《せかい》もちがう？

自分《じぶん》と相手《あいて》が同《おな》じものを見《み》ていても，同《おな》じ認識《にんしき》をしているとはいえない

ある未開《みかい》の地《ち》に言語学者《げんごがくしゃ》が調《ちょう》査《さ》に行《い》きました。原地人《げんちじん》といっしょに外《そと》に出《で》ていると，一匹《いっぴき》のうさぎがサッと目《め》の前《まえ》を走《はし》り抜《ぬ》けました。それを見《み》て，原地人《げんちじん》が「Gavagai（ギャバガイ）」と叫《さけ》びました。おそらく言語学者《げんごがくしゃ》は言葉《ことば》の訳《やく》として，「うさぎだ」あるいは「ほら，うさぎだ」といった文《ぶん》を書《か》きとめるでしょう。

しかし，その翻訳《ほんやく》が正《ただ》しいのかどうかは確認《かくにん》することはできません。なぜならば，原地人《げんちじん》といっしょに見《み》たウサギが灰色《はいいろ》である場合《ばあい》，「灰色《はいいろ》」というときも現地人《げんちじん》は「Gavagai（ギャバガイ）」と叫《さけ》ぶかもしれませんし，「動物《どうぶつ》」を見《み》たというときにも「Gavagai（ギャバガイ）」と叫《さけ》ぶかもしれないからです。もちろん，この「Gavagai（ギャバガイ）」の正《ただ》しい意味《いみ》は原地人《げんちじん》の反応《はんのう》をくわしく調《しら》べることで知《し》ることができるでしょう。しかし，言語学者《げんごがくしゃ》が「Gavagai（ギャバガイ）」は何《なに》か？を問《と》いただしても，相手《あいて》がその問《と》いを正《ただ》しく理《り》解《かい》したのかどうかという問題《もんだい》は残《のこ》ります。

このように使《つか》う言葉《ことば》がちがうと，相手《あいて》と自分《じぶん》では見《み》ている視点《してん》も，見《み》えている世界《せかい》も，まったくちがっているかもしれない，ということがこの思考実験《しこうじっけん》でわかるのです。

参考文献：ウィラード・ヴァン・オーマン・クワイン著，大出晁・宮館恵 訳
『ことばと対象』（勁草書房）

見《み》えている世界《せかい》が同《おな》じとはかぎらない

分析哲学者《ぶんせきてつがくしゃ》のウィーラード・ヴァン・オーマン・クワイン（1908〜2000）は，使《つか》う言葉《ことば》がちがえば，見《み》えている世界《せかい》もちがうと考《かんが》え，左《ひだり》のような思考実験《しこうじっけん》を行《おこな》いました。自分《じぶん》と相手《あいて》，両者《りょうしゃ》が同《おな》じようにものを見《み》ているとはかぎらないのです。

部品《ぶひん》がすべて入《い》れかわった船《ふね》は，別《べつ》の船《ふね》？

全体《ぜんたい》は部分《ぶぶん》の総和《そうわ》にすぎないが，時間的《じかんてき》な変化《へんか》も考《かんが》えるとちがう見方《みかた》ができる

ギリシャの哲学者《てつがくしゃ》・著述家《ちょじゅつか》のプルタルコス（46ごろ～120ごろ）が，ギリシャ神話《しんわ》に登場《とうじょう》する「テセウス」について書《か》いた文章《ぶんしょう》の中《なか》に，「テセウスの船《ふね》」という思考実験《しこうじっけん》があります。テセウスは，クレタ島《とう》で「ミノタウロス」という怪物《かいぶつ》を退治《たいじ》したことで知《し》られる英雄《えいゆう》です。テセウスがクレタ島《とう》から持《も》ち帰《かえ》った船《ふね》は，ギリシャの都市《とし》アテネで長期間保存《ちょうきかんほぞん》されていました。その間《かん》，腐《くさ》った古《ふる》い木《き》の板《いた》は新《あたら》しい木《き》の板《いた》に取《と》りかえられ，最終的《さいしゅうてき》に古《ふる》い板《いた》は1枚《まい》もなくなってしまいました。このとき，テセウスが持《も》ち帰《かえ》った当初《とうしょ》の古《ふる》い板《いた》がなくなってしまった船《ふね》は，もはや「テセウスの船《ふね》」とはいえないのではないか？　というものです。

プルタルコスが生《い》きていたころから，このテーマに対《たい》する議論《ぎろん》は活発《かっぱつ》でした。テセウスの船《ふね》が問題《もんだい》にしていることの一《ひと》つは，「全体《ぜんたい》は部分《ぶぶん》の総和《そうわ》にすぎない」という話《はなし》です。全体《ぜんたい》と部分《ぶぶん》の関係《かんけい》を考《かんが》えるときに，ある一点《いってん》だけを見《み》れば，確《たし》かに部分《ぶぶん》の組《く》み合《あ》わせで全体《ぜんたい》がなりたっています。

しかし，テセウスの船《ふね》の話《はなし》に出《で》てきたような時間的《じかんてき》な変化《へんか》を視野《しや》に入《い》れると，単《たん》なる部分《ぶぶん》の総和《そうわ》ではないような「全体《ぜんたい》」があるのではないかとも思《おも》えてくるのです。

テセウスの船《ふね》

右《みぎ》ページの①がテセウスがクレタ島《とう》から持《も》ち帰《かえ》った「テセウスの船《ふね》」です。②は一部《いちぶ》が古《ふる》い木材《もくざい》から新《あたら》しい木材《もくざい》にかえられた「テセウスの船《ふね》」，③は新《あたら》しい木材《もくざい》に半分《はんぶん》ぐらいかわった「テセウスの船《ふね》」です。④はすべて新《あたら》しい木材《もくざい》にかえられた「テセウスの船《ふね》」です。②～④の船《ふね》は「テセウスの船《ふね》」とよべるのでしょうか？

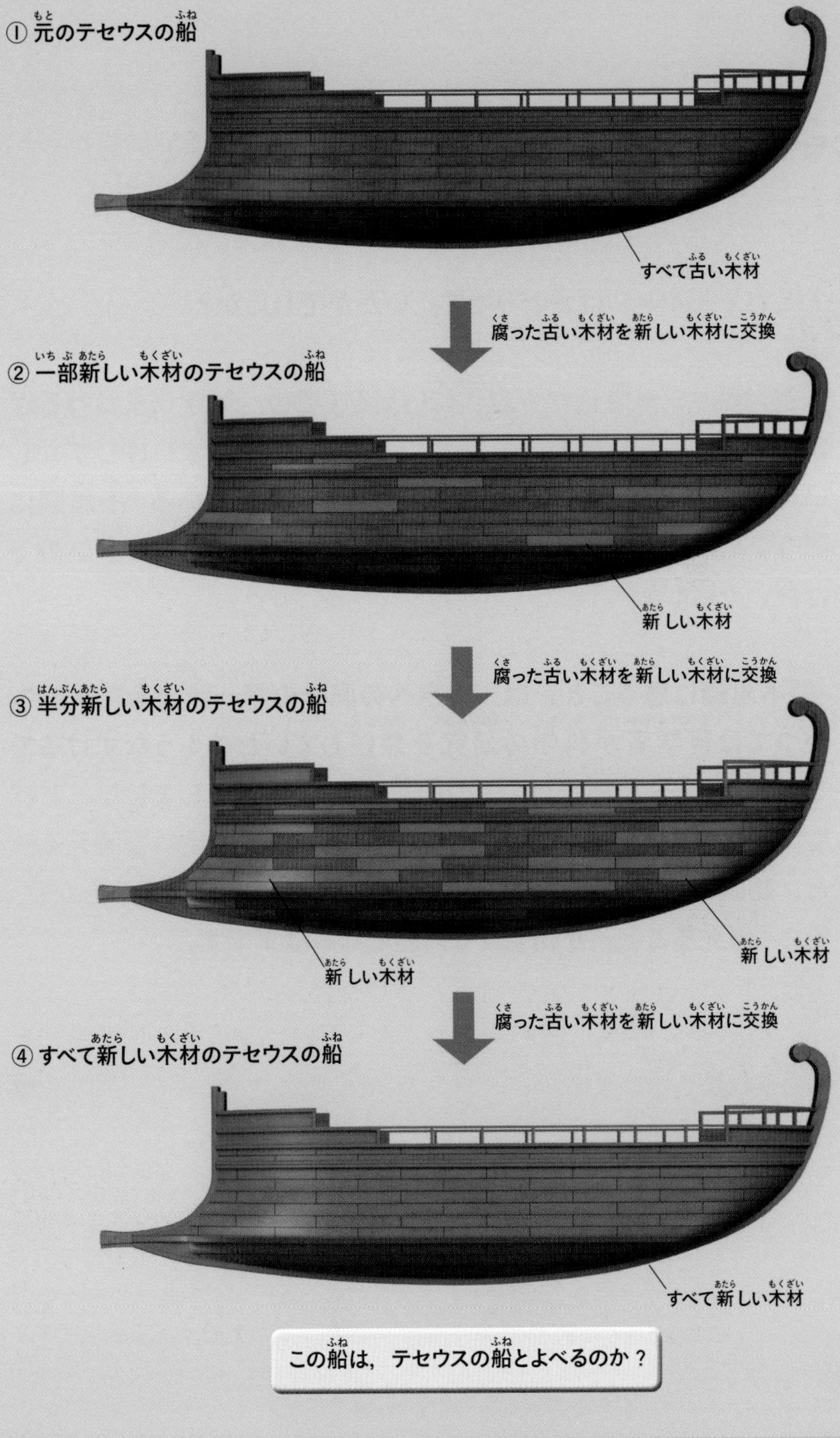

この船《ふね》は，テセウスの船《ふね》とよべるのか？

おわりに

これで『哲学《てつがく》』はおわりです。いかがでしたか？

古代《こだい》ギリシャ時代《じだい》から現代《げんだい》にいたるまでの，哲学《てつがく》にまつわる歴史《れきし》やエピソードを時系列《じけいれつ》で紹介《しょうかい》してきました。哲学《てつがく》にはむずかしい印象《いんしょう》があるかもしれませんが，だれもがもっている「不思議《ふしぎ》に思《おも》うこと」からはじまったと知《し》り，親《した》しみを感《かん》じた人《ひと》も多《おお》いのではないでしょうか。

「不思議《ふしぎ》に思《おも》うこと」は，科学《かがく》への興味《きょうみ》の第一歩《だいいっぽ》でもあります。かつては哲学者《てつがくしゃ》が科学《かがく》の研究《けんきゅう》を兼任《けんにん》していたのもうなずけるでしょう。また，5章《しょう》では，7つの思考実験《しこうじっけん》を紹介《しょうかい》しました。どれも，シンプルで当《あ》たり前《まえ》の内容《ないよう》にみえますが，考《かんが》えれば考《かんが》えるほど，結論《けつろん》をだすのがむずかしくなっていったと思《おも》います。しかし，その「考《かんが》えること」が何《なに》よりも財産《ざいさん》となるはずです。

この本《ほん》が，哲学《てつがく》に関心《かんしん》をいだくきっかけになったとしたら，とてもうれしく思《おも》います。

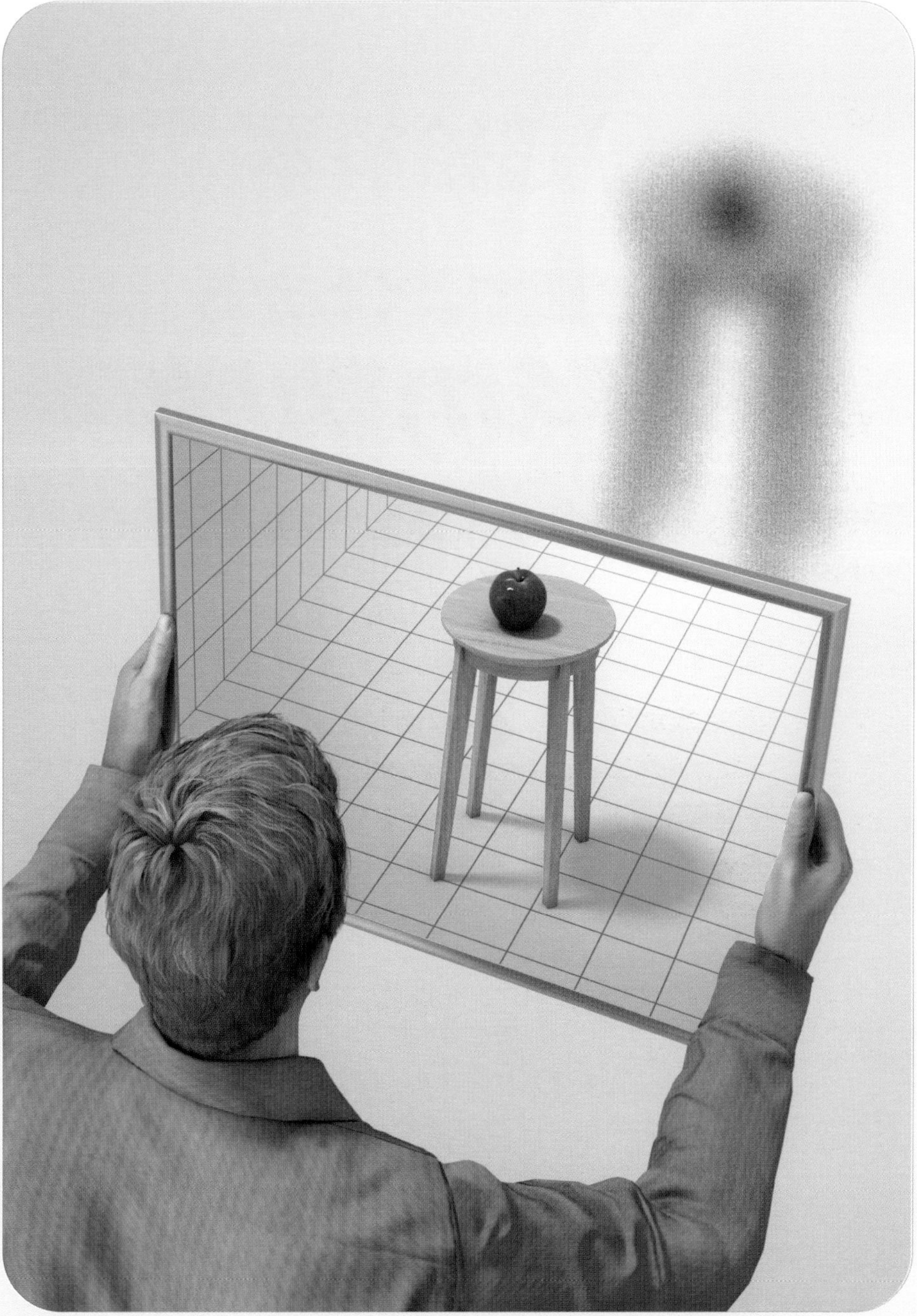

図形《ずけい》は古代《こだい》ギリシャから研究《けんきゅう》されてきた

美《うつく》しさの中《なか》に隠《かく》れた図形《ずけい》の法則《ほうそく》

常識《じょうしき》をこえた曲面《きょくめん》の世界《せかい》の不思議《ふしぎ》

—— 目次《もくじ》（抜粋《ばっすい》）——

Staff

Editorial Management	中村真哉	Design Format	宮川愛理
Cover Design	秋廣翔子	Editorial Staff	上月隆志，谷合 稔

Photograph

13	akg-images/Cynet Photo
14-15	McCarony/stock.adobe.com
18-19	iza_miszczak/stock.adobe.com
19	Archivist/stock.adobe.com
22	Vladimir Wrangel/stock.adobe.com
24	Top Photo / Cynet Photo
26-27	Nice/stock.adobe.com
29	akg-images / Cynet Photo
33	akg-images / Cynet Photo
36	【キンディー】Top Photo / Cynet Photo，【ファーラービー】Georgios Kollidas/stock.adobe.com，【シーナー】AGE Fotostock / Cynet Photo
37	LUMA/stock.adobe.com
39	【アクィナス】Renáta Sedmáková/stock.adobe.com，【オッカム】Photoshot / Cynet Photo
43	caifas/stock.adobe.com
45	Spiroview Inc./stock.adobe.com
49	【デカルト】Granger Collection / Cynet Photo
50-51	terovesalainen/stock.adobe.com
51	Georgios Kollidas/stock.adobe.com
53	Georgios Kollidas/stock.adobe.com
54	【ダ・ヴィンチ】Marcelo/stock.adobe.com，【ベーコン，ケプラー，パスカル，ロック，ガリレオ，デカルト，ボイル】Georgios Kollidas/stock.adobe.com，【コペルニクス】caifas/stock.adobe.com
55	【ニュートン，オイラー，ライプニッツ，ヒューム，ラボアジエ】Georgios Kollidas/stock.adobe.com，【カント】nickolae/stock.adobe.com，【ヒューウェル】Universal Images Group / Cynet Photo，【バークリ】Granger Collection / Cynet Photo，【エルステッド】acrogame/stock.adobe.com
56-57	pathdoc/stock.adobe.com
59	Morphart/stock.adobe.com
61	Granger Collection / Cynet Photo
63	Granger Collection / Cynet Photo
64	eorgios Kollidas/stock.adobe.com
66-67	Top Photo/Cynet Photo
67	Public domain
68	nickolae/stock.adobe.com
70	Top Photo / Cynet Photo
72	caifas/stock.adobe.com
72-73	Steve/stock.adobe.com
74	Granger Collection / Cynet Photo
76-77	natali_mis/stock.adobe.com
78	pict rider/stock.adobe.com
80-81	EwaStudio/stock.adobe.com
81	Graziano Arici / AGE Fotostock / Cynet Photo
85	reichhartfoto/stock.adobe.com
86-87	bill_17/stock.adobe.com
87	Claudio Divizia/stock.adobe.com
93	Granger Collection / Cynet Photo
95	vchalup/stock.adobe.com，stnazkul/stock.adobe.com
96-97	Looker_Studio/stock.adobe.com
99	Georgiy/stock.adobe.com，vchalup/stock.adobe.com，Monet/stock.adobe.com，Adam Gregor/stock.adobe.com，PooMtyKunG/stock.adobe.com，Сергей Шиманович/stock.adobe.com
105	©2009 EPISKIN.All Rights Reserved.
109	stnazkul/stock.adobe.com
111	merla/stock.adobe.com
113	beeboys/stock.adobe.com
115	ABC-15.com/AP/アフロ
117	ihorvsn/stock.adobe.com
119	neurobite/stock.adobe.com
121	phonlamaiphoto/stock.adobe.com
125	MIA Studio/stock.adobe.com，chingyunsong/stock.adobe.com，Engdao/stock.adobe.com
127	MIA Studio/stock.adobe.com
129	pickup/stock.adobe.com
131	chingyunsong/stock.adobe.com
133	Charles LIMA/stock.adobe.com
135	dottedyeti/stock.adobe.com
137	Engdao/stock.adobe.com

Illustration

表紙カバー	Newton Press
表紙	Newton Press
2	Newton Press
7	Newton Press
13	Newton Press
16-17	Newton Press
20～23	Newton Press
25	Newton Press
30-31	Newton Press
35	Newton Press
38	Newton Press
41	Newton Press
42-43	Newton Press（地図：Made with Natural Earth.）
43	藤丸恵美子
46-47	小林稔
48-49	Newton Press
53	Newton Press
61～65	Newton Press
68～71	Newton Press
74-75	Newton Press
79	Newton Press
83	Newton Press
88～93	Newton Press
95	Newton Press
101～103	Newton Press
104	Newton Press
105	Newton Press
107	Newton Press
139	Newton Press
141	Newton Press

初出記事へのご協力者（敬称略）：
一ノ瀬正樹（武蔵野大学人間科学部人間科学科教授）／伊勢田哲治（京都大学大学院文学研究科教授）／伊吹友秀（東京理科大学教養教育研究院野田キャンパス教養部准教授）／金山万里子（元・大阪医科薬科大学教授）／金山弥平（名古屋大学人文学研究科名誉教授）／鬼頭秀一（東京大学名誉教授・星槎大学,公私立大学の部局等,特任教授）／久木田水生（名古屋大学大学院情報科学研究科准教授）／児玉 聡（京都大学大学院文学研究科教授）／仲正昌樹（金沢大学人間社会研究域法学系教授）

本書は主に，ニュートンライト3.0『哲学』の一部記事を抜粋し，大幅に加筆・再編集したものです。

超《ちょう》絵《え》解《かい》本《ぼん》

科学《かがく》を生《う》み，発展《はってん》させた人類《じんるい》の知《ち》の結晶《けっしょう》

絵《え》と図《ず》でよくわかる哲学《てつがく》

2023年8月10日発行

発行人　高森康雄
編集人　中村真哉
発行所　株式会社 ニュートンプレス
〒112-0012東京都文京区大塚3-11-6
https://www.newtonpress.co.jp

ISBN978-4-315-52721-6